Un Río, un Amor

Los Placeres Prohibidos

Letras Hispánicas

Luis Cernuda

Un Río, un Amor

Los Placeres Prohibidos

Edición de Derek Harris

SÉPTIMA EDICIÓN

CÁTEDRA
LETRAS HISPÁNICAS

1.ª edición, 1999
7.ª edición, 2017

Juan Ignacio Luca de Tena, 15. 28027 Madrid
Depósito legal: M. 9.410-2009
ISBN: 978-84-376-1750-3
Printed in Spain

Índice

Introducción

Luis Cernuda.

Palabras preliminares

El 7 de marzo de 1926, en su Sevilla natal, Luis Cernuda dio por completo el poema que abre su primer libro, *Perfil del aire*. Los primeros cuatro versos son así:

> ¡Esa brisa reciente
> en el espacio esbelta!
> En las hojas, abriendo,
> sólo una primavera[1].

El lenguaje y los sentimientos ostentan ingenuamente la impronta ineludible del simbolismo juanramoniano adjunto al tono exaltado cultivado por Jorge Guillén en sus primeros poemas. Estos versos pertenecen al culto a la poesía pura.

El 15 de marzo del mismo año, el librero madrileño León Sánchez Cuesta anotó en sus archivos la confirmación del suministro a Luis Cernuda de un ejemplar de *Le Libertinage* del surrealista francés Louis Aragon, que el poeta sevillano había

---

[1] *Perfil del aire* se publicó en 1927 en la Imprenta Sur, Málaga. La recepción, en muchos casos de una torpeza miópica, que el libro recibió de los críticos decepcionó profundamente a Cernuda y le llevó a producir una nueva redacción de su primer libro, con el título de *Primeras poesías*, para la primera edición de su obra poética reunida, *La Realidad y el Deseo*, que apareció en 1936. Los cambios textuales pueden consultarse en Luis Cernuda, *Obra Completa*, t. I, *Poesía*, Madrid, Siruela, 1994. Las fechas de los poemas de Cernuda referidas en esta introducción, así como la información biográfica, proceden de esta edición. Para la historia de *Perfil del aire* y un estudio crítico de la primera fase de la producción poética de Cernuda, véase Luis Cernuda, *Perfil del aire*, edición de Derek Harris, Londres, Tamesis Books, 1971.

pedido el 9 de febrero[2]. En aquellas fechas sólo faltaban ocho composiciones para completar los veintinueve poemas de *Perfil del aire;* la poesía más tardía lleva la fecha del 15 de enero de 1927. Y luego vendrían los cuatro extensos poemas de estilo renacentista-simbolista creado de la combinación de influencias de Garcilaso y Mallarmé, que forman su segundo libro, *Égloga, elegía, oda,* escrito entre julio de 1927 y julio de 1928. Evidentemente, la adquisición por Cernuda del libro de Aragon no dejó huella aparente inmediata en su obra escrita durante los dieciséis meses siguientes. Pero la compra del libro de Aragon no era una mera aberración en las lecturas del joven poeta sevillano, una compra hecha por interés general en las últimas novedades de París. Siguieron una sucesión de otras lecturas de los surrealistas franceses, como se revela en la redacción original de su ensayo autobiográfico «Historial de un libro»:

> Leyendo aquellos libros de Aragon (los superrealistas, no los posteriores), de Breton o de Crevel *(Anicet, Le Libertinage, Les Pas perdus, La Mort difficile),* sobre todo los del primero, percibía cómo eran míos también el malestar y osadía que en dichos libros hallaban voz[3].

A pesar del tono y el estilo simbolistas de los poemas de Cernuda en los años 1926-1928, no cabe duda de que iba leyendo asiduamente los libros del grupo surrealista parisino y que compartía las actitudes vitales que se promovían en el surrealismo.

De principios de noviembre de 1928 a fines de junio de 1929 Cernuda se halló en la ciudad francesa de Toulouse, donde ocupó el puesto humilde de *répétiteur de langue espagnole* en la institución universitaria de la École Normale. Allí, y durante su visita a París en las vacaciones de Pascua, es seguro que continuaron sus lecturas del surrealismo, como se desprende

[2] Agradezco esta información a Terence McMullan de la Queen's University of Belfast. Los archivos de León Sánchez Cuesta se hallan ahora conservados en la Residencia de Estudiantes en Madrid.

[3] Luis Cernuda, *Prosa,* t. 1, Madrid, Siruela, 1994, págs. 632 y 856, nota 11.

de las traducciones de algunos poemas de *L'Amour la poésie* de Paul Éluard que aparecieron con un ensayo introductorio en la revista malagueña *Litoral* en junio de 1929. Este libro de Éluard se publicó en marzo de aquel año. Al mes siguiente, después de aquella visita a la capital del surrealismo, empezó Cernuda la serie de poemas escritos entre abril y agosto de 1929 bajo influencia surrealista que luego se agruparían en el libro *Un Río, un Amor*. El largo «baño» surrealista comenzado con aquella compra de *Le Libertinage* ya daba frutos. Luis Cernuda se adhirió al surrealismo y a la rebelión que proclamaba. Dos años más tarde en el ambiente febril del Madrid del abril de 1931 se produjo su segundo libro surrealista, *Los Placeres Prohibidos*. Ni uno ni otro se publicaron en su momento, teniendo que esperar hasta la primera salida de la obra reunida bajo el título común *La Realidad y el Deseo* en 1936.

Pasemos ahora a examinar algo de la teoría y la práctica del surrealismo entre el grupo parisino en torno al cabecilla del movimiento surrealista, André Breton, para luego examinar la recepción que el surrealismo tuvo en España y el impacto de la influencia surrealista en la poesía de Cernuda.

El surrealismo

Ya que tarde o temprano todo comentario sobre el surrealismo tendrá que enfrentarse con ella, empecemos inmediatamente con la famosa definición de diccionario que André Breton propone en su primer manifiesto del surrealismo, publicado en 1924:

> Surrealismo *m* Automatismo psíquico puro por el cual se propone expresar, sea oralmente, sea por escrito, sea de cualquier otra manera, el funcionamiento verdadero del pensamiento. Dictado del pensamiento, libre de todo control ejercido por la razón, fuera de toda preocupación estética o moral[4].

[4] Traducción del editor. Una versión española del primer manifiesto y también del segundo se incluye en André Breton, *Manifiestos del surrealismo,* Madrid, Guadarrama, 1974.

Esta definición que tanto atrajo la atención cuando el manifiesto se lanzó al mundo y que desde entonces ha continuado presentándose como la aserción fundamental del surrealismo, sólo es, en efecto, la declaración de una técnica para la producción de un texto oral o escrito por un procedimiento automático, es decir, inconsciente, en el cual se suprime o inhibe el control normalmente ejercido por la conciencia en la producción textual. Dado el enfoque limitado de esta definición, es más importante identificar la meta de esta actividad automática, que se revela en otra declaración del primer manifiesto de Breton: «creo en la futura resolución de estos dos estados, aparentemente tan contradictorios, como son el sueño y la realidad, en un tipo de realidad absoluta, de *surrealidad*, si se puede utilizar este término». Esta idea se repite de una forma más desarrollada en el segundo manifiesto del surrealismo que data de 1930:

> Todo lleva a la creencia de que existe cierta parte de la mente donde la vida y la muerte, lo real y lo imaginario, el pasado y el futuro, lo comunicable y lo incomunicable, lo alto y lo bajo cesan de percibirse como contradicciones. Ahora bien, es inútil buscar en la actividad surrealista otro motivo que la esperanza de identificar aquella parte.

La meta del surrealismo es la eliminación de las barreras que separan la parte consciente de la mente de la parte subconsciente, haciendo que estas dos partes funcionen, en una frase de Breton, como «vasos comunicantes» en los que se mezclan libremente la experiencia consciente y la experiencia subconsciente. El automatismo, el dictado incontrolado de la subconciencia, es un mecanismo para exteriorizar la actividad subconsciente y, además, es solamente una de las técnicas utilizadas para realizar esta fusión de conciencia y subconciencia. Entre otras técnicas se destacan el uso del *collage* literario, en el que se yuxtaponen palabras y frases cortadas al azar de una variedad de textos, en imitación a los papeles pegados que aparecen en cuadros cubistas, y el remedo de estados de alienación mental, como en el caso de la conocida paranoia crítica que propuso Salvador Dalí.

El surrealismo se revela como la culminación de un largo proceso de creciente solipsismo, es decir, la creencia de que la conciencia individual es la sola realidad, proceso que parte del romanticismo y el idealismo hegeliano para pasar por el complejo de sensaciones del que se preocupaba el simbolismo del fin de siglo hasta llegar a la teoría y la práctica psicoanalítica de Sigmund Freud. A la fenomenología solipsista, que propone que la única realidad es la que se halla en la mente, los surrealistas añaden la idea de una realidad solipsista aumentada hasta incluir la subconciencia. Pero esta relación con la tradición de la filosofía idealista alemana no la veían gran parte de los comentaristas literarios de los años 20 ni algunos de los poetas más importantes de entonces, que sólo concentraron la atención en aquella definición tajante del primer manifiesto de Breton donde el surrealismo se identifica con el automatismo, con la consecuencia de que los literatos españoles de los años 20 rechazaron lo que les parecía la abdicación de la conciencia artística que veían propuesta en el mecanismo automático. Este rechazo del automatismo equivalía para ellos a un rechazo del surrealismo, y de ahí viene la actitud muy divulgada que niega la existencia de una influencia surrealista en la poesía de la Generación del 27. La lógica es tan ineludible como equivocada: los poetas no utilizaron el método automático y, por lo tanto, no podían considerarse surrealistas. Esta actitud tan simplista oscureció durante décadas la verdadera relación de la poesía de la Generación del 27 con el surrealismo. Pero ya no se puede negar lo innegable: un poeta como Luis Cernuda, a los dos años de la publicación del *Primer manifiesto* de Breton, iba leyendo vorazmente las obras del grupo surrealista de París y, pasado el tiempo, empezó a producir sus propias composiciones surrealistas.

Para contextualizar mejor la poesía surrealista de Cernuda, y de otros poetas españoles afines, como Lorca, Alberti y Aleixandre, hace falta indagar con más profundidad en la definición y en la práctica del surrealismo. Aunque no sea el elemento esencial del surrealismo, el automatismo es, sin embargo, un claro indicio de la preocupación central por parte de Breton y de otros surrealistas de emprender una exploración de la actividad subconsciente y de las imágenes lingüísticas y pictóricas que esta actividad suscitaba y resguardaba. La frase clave de aquella famosa definición del *Primer manifiesto* no es la del «automatismo psíquico puro», sino la del «funcionamiento verdadero del pensamiento», lo que en términos literarios hace resaltar la función de la lengua como un elemento básico del surrealismo. Otro elemento fundamental es la búsqueda de la surrealidad, aquel punto supremo de la mente donde se anulan todas las contradicciones. El surrealismo tomó como suya la meta que había proclamado Arthur Rimbaud: cambiar la vida. Así se cambian las reglas que gobiernan la unión de las palabras para permitirles combinarse libres de las normas reglamentarias estéticas o morales, con el propósito de sacar a luz las imágenes donde la fusión de la conciencia y la subconciencia produce milagrosas creaciones exentas de la necesidad de someterse a las leyes de la lógica y la física. El surrealismo hace violencia a estas leyes, y de ahí viene otro elemento de definición fundamental: la rebelión. Los surrealistas de París, en su gran mayoría, habían empezado la carrera como miembros del movimiento antiartístico Dada, que había proclamado que el arte se había muerto y habían atacado, a veces físicamente, todos los grandes iconos del arte burgués y aburguesado.

La naturaleza del surrealismo se revela claramente en la práctica, en el tipo de imagen que se crea y en el funcionamiento del lenguaje. Louis Aragon en *Le Paysan de Paris* proclama esta trabazón entre el surrealismo y una determinada categoría de imagen: «el vicio denominado surrealismo es el uso inmoderado y apasionado de la imagen estupefaciente»[5]. Y Aragon prosigue afirmando que la adicción a este narcótico produce una reconsideración del universo entero, destrucciones espléndidas y la enajenación de todo principio utilitario. La base de la imagen surrealista es la alucinación tanto imaginística como lingüística. Esta alucinación surrealista es, típicamente, la yuxtaposición arbitraria e incongrua de objetos o fenómenos normalmente inconexos, como, por ejemplo, en la famosa imagen del presurrealista Lautréamont: «el

[5] Louis Aragon, *Le Paysan de Paris,* París, 1933 [1926], págs. 81-82. Existe una traducción española, *El campesino de París,* Barcelona, Bruguera, 1979.

encuentro fortuito de un paraguas y una máquina de coser en una mesa de disección», que se halla en el canto sexto de *Los cantos de Maldoror*. Cuando se traspasan las leyes de la lógica y la física ninguna combinación, ninguna convergencia resulta ser imposible en un contexto que busca eliminar la idea misma de la contradicción. Todo se hace posible como una fuente del encuentro fortuito que cambia la percepción del mundo. La realidad se ensancha para abarcar entidades, objetos y fenómenos como una estatua de vidrio que suspira apoyada en un codo mientras que los hombres duermen, un cajón hecho de carne con tiradores de pelo, reflejos que sangran, mármol que flota y robles que se metamorfosean en reptiles[6]. Objetos totalmente insensibles se activan y se personifican: una casa caprichosa pierde la sangre, la noche vuela como un pájaro, abanicos cesan de producir fruta[7].

Los encuentros fortuitos pueden efectuarse de muchas maneras. Breton y otros surrealistas, por ejemplo, adaptaron a la producción de textos surrealistas la práctica del *collage* elaborado por pintores como Picasso y Braque. En lugar de los trozos de papel cortado y pegado para formar el cuadro, cortaron palabras y frases de periódicos y las combinaron arbitrariamente para formar un texto. Una práctica parecida es el juego que los surrealistas denominaron «el cadáver exquisito»: varias personas escriben en turnos una palabra en un papel y después de la contribución de cada una el papel se dobla de modo que los otros no pueden leer las palabras que preceden. El resultado es la sorprendente combinación tal como la frase que dio nombre al juego: «el cadáver / exquisito / beberá / el vino / nuevo»[8].

---

[6] Estas imágenes proceden respectivamente de los siguientes textos franceses: André Breton, «Facteur Cheval», *Claire de terre;* Paul Éluard, «Ne plus partager», *Capitale de la Douleur;* Robert Desnos, «Apparitions», *Fortunes,* y «De la fleur d'amour et des chevaux migrateurs», *Corps et biens.*

[7] Estas imágenes se encuentran en un solo párrafo del texto «Gants blancs», incluido en la obra automática *Les Champs magnétiques,* escrita por André Breton y Philippe Soupault en 1919.

[8] El juego en sí no es esencialmente surrealista, pero sí es surrealista la celebración de las yuxtaposiciones léxicas incongruentes e ilógicas que el juego produce. Ejemplos de «cadáveres exquisitos» se publicaron en las revistas de los surrealistas parisinos como *La Révolution Surréaliste.*

Tales juegos verbales muestran la importancia central que el lenguaje representa en el surrealismo, y sobre todo el lenguaje que opera en un estado de autonomía, liberado de las preocupaciones estéticas o morales. El lema que encabeza el *Dictionnaire abrégé du surréalisme* de 1938 reza así: «El lenguaje no sólo sirve para que el hombre exprese algo, sino para expresarse a sí mismo»[9]. La fenomenología surrealista es verbalista. En 1924 Louis Aragon había afirmado que el surrealismo apoya la proposición de un nominalismo absoluto en el que el pensamiento no tenía existencia fuera de las palabras[10]. Este nominalismo se evidencia de una manera categórica en el juego de palabras tan frecuente en muchos escritores surrealistas franceses, una característica expresiva fomentada sin duda por la capacidad de la lengua francesa de producir retruécanos, dadas las aceptaciones equívocas de muchas palabras y las variaciones ortográficas para los mismos fonemas. El ejemplo «clásico» es el seudónimo del pintor Marcel Duchamp, Érose Sélavy, que es una representación ortográfica alternativa de la frase «Éros, c'est la vie» [«Eros es la vida»]. El mismo nombre de Marcel Duchamp es susceptible de transformarse con una reorganización de los fonemas en «Marchand su sel» [«Vendedor de sal»].

Los juegos de palabras son tan viejos como la lengua misma y una parte establecida de la tradición literaria, pero los surrealistas cultivaron las transformaciones verbales y los equívocos sintácticos con una nueva intensidad y para nuevos fines significativos. Ya no son para ellos meros juegos de palabras, sino la exposición de una hermeneútica subversiva en la que las aceptaciones realistas de las palabras sufren una desestabilización que las libera para entrar en nuevas combinaciones y libera también, por el juego homofónico, otras palabras subyacentes. El juego de palabras surrealista indica el sortilegio arbitrario y espontáneo en la concepción que los surrealistas tienen del lenguaje. Las palabras son como los huesos de gallina de un chamán, que los echa para formar

[9] André Breton y Paul Éluard, *Dictionnaire abrégé su surréalisme,* París, Beaux-Arts, 1938.

[10] Louis Aragon, *Une Vague de rêves,* París, 1924, pág. 102.

combinaciones arbitrarias donde se adivinan significados milagrosos.

La generación de lexemas por homofonía y la consiguiente cultivación de la arbitrariedad en el desarrollo textual es un indicio de la naturaleza disociativa del lenguaje surrealista que produce la yuxtaposición de sememas normalmente incompatibles. El lenguaje del surrealismo se genera en el juego de los significantes, no en la relación discursiva de los significados. La disociación lingüística se produce también con la técnica del *collage*, que yuxtapone palabras e imágenes sin respetar las normas del decoro semántico. Así, la metamorfosis imaginística se añade a la metamorfosis fonética. Este fundamental elemento metamórfico en el lenguaje surrealista también explica el cultivo de la metáfora por parte de los surrealistas. La relación analógica que provoca la metáfora es una forma de metamorfosis, como se ve sobre todo en la figura retórica del símil, que se puede denominar como premetafórica. Los simbolistas habían desdeñado el símil, pero los surrealistas lo cultivaron apasionadamente, no por su capacidad de unir términos normalmente comparables, sino como un mecanismo de confrontar elementos normalmente incompatibles. La fuente del símil surrealista está en la obra del gran precursor, Lautréamont, inventor de la frase icónica «bello como», a la cual se añadían elementos comparados de una sorprendente arbitrariedad; por ejemplo, «bello como un entierro apresurado». Otra vez se trata de una yuxtaposición metafórica que violenta las normas de la correlación semántica.

Los encuentros verbales fortuitos engendrados por homofonía, *collage* y yuxtaposición metafórica se formulan dentro de unas construcciones sintácticas perfectamente normales, paradoja que acentúa la arbitrariedad y la otredad del lenguaje al nivel imaginístico. Las estructuras discursivas normales se mantienen, pero el uso normal de estas estructuras se subvierte para hacerlas dar expresión a una continua sucesión de sorpresas semánticas. El contraste entre el control formal y la arbitrariedad semántica produce otra dimensión al efecto alucinatorio del texto surrealista. Esta experiencia alucinatoria se acentúa con la presencia frecuente de mecanismos como la anáfora o la anadiplosis y con una marcada tendencia hacia la hipotaxis. Se crea a veces lo que podría denominarse una «fuga sintáctica»: la arbitrariedad semántica inhibe o disloca o incluso obstruye la resolución del discurso significativo con la creación de un «no sentido». Los significantes y las formas sintácticas que los encierran no llegan a una conclusión porque la intención principal del texto es la generación de significantes y formas sintácticas para llevarlos.

La característica esencial de un texto surrealista es la otredad de la visión que presenta, la revelación de otra realidad, o, por lo menos, de una realidad reconocible que ha sufrido un cambio radical en desafío a las leyes de la lógica y la física. El surrealismo se halla en el modo expresivo generado por la libertad de las palabras de combinarse sin comedimiento racional para establecer yuxtaposiciones sorprendentes. Las palabras mismas adquieren una energía que separa la parte semántica del léxico de la función controladora de la sintaxis, liberando el desarrollo sintáctico y permitiendo el libre impulso semántico que crea esta otra realidad. Esta energía verbal se manifiesta también en la producción fonética y homofónica del léxico que hace su propia contribución al desarrollo no racional, no conceptual del texto.

El surrealismo en España

La cuestión de la influencia del surrealismo en la poesía española en los años 20 y 30 ha sido, y sigue siendo, el motivo de un debate polémico entre los que niegan rotundamente la existencia de una presencia surrealista en la poesía española de la época y los que aceptan esta presencia. La actitud negativa poco a poco ha ido cediendo ante la opinión que admite la influencia, pero los que defienden la presencia surrealista se han dividido en dos bandos, el que admite la presencia incondicionalmente y el que propone la existencia en ciertos poetas de un surrealismo peculiar a la poesía española[11].

---

[11] Para la historia de la problemática crítica del surrealismo en España, véanse los siguientes trabajos en la bibliografía de esta edición: Feal (1979), García de la Concha (1982), Morris (1995). Para la historia de la recepción del surrealismo en España, véanse Soria Olmedo (1988) y García Gallego (1984).

Las raíces de esta cuestión se encuentran en las distintas posiciones adoptadas en el curso de la recepción del surrealismo en España, y sobre todo en las actitudes de los intelectuales que dominaban la cultura española en aquella época. Cuando se publicó el *Primer manifiesto surrealista* de André Breton en 1924, en la literatura española y, sobre todo, en la poesía, imperaba la estética de la poesía desnuda de Juan Ramón Jiménez, propuesta en su libro *Eternidades* (1916-1917), y empezaban su señorío cultural las ideas de la poesía pura junto con el elitismo promocionado por la *Revista de Occidente*. La declaración juanramoniana «¡Intelijencia, dame / el nombre exacto de las cosas!», también de *Eternidades*, es de una índole emimentemente simbolista, que entronca con los ideales del purismo de eliminar de la poesía las supuestas contaminaciones sentimentales, intelectuales o morales, actitud también de origen simbolista[12]. El purismo, a su vez, enlaza con la asepsia producida por la eliminación de la contaminación humana, que José Ortega y Gasset había diagnosticado como el elemento fundamental de la vanguardia cubista[13]. Ni Jiménez, ni el culto a la poesía pura, ni la deshumanización del arte que promocionaba Ortega y Gasset crearían un clima propicio al establecimiento del surrealismo en España. Aún más, se opusieron al surrealismo y así se comenzó la mistificación que tan largo ha durado.

En diciembre de 1924 se publicó en la *Revista de Occidente* un comentario sobre el *Primer manifiesto* de Breton, firmado por Fernando Vela, secretario de la revista y portavoz de las opiniones del director, Ortega y Gasset[14]. El comentario es correcto, en el sentido de que informa lúcidamente al público español de los elementos más fundamentales del manifies-

---

[12] Jorge Guillén define las impurezas poéticas como los «fines sentimentales, ideológicos, morales»; «Carta a Fernando Vela sobre la poesía pura», *Verso y prosa*, febrero de 1927. Este texto se incluye como la «Poética» de Guillén en Gerardo Diego, *Poesía española. Antología. 1915-1931*, Madrid, 1932 (reeditado: Madrid, Taurus, 1991).

[13] José Ortega y Gasset, *La deshumanización del arte*, Madrid, 1925. Se publicó con anterioridad por partes en el importante periódico madrileño *El Sol*.

[14] Fernando Vela, «El suprarrealismo», *Revista de Occidente*, núm. 18, diciembre de 1924, págs. 428-434 [recogido en García de la Concha (1982), págs. 31-35].

to: la investigación de la subconciencia, el uso del automatismo y la búsqueda del estado de surrealidad donde cesan todas las contradicciones. Pero el tono del comentario es abiertamente despectivo y revela un menosprecio de la obra creativa de los surrealistas. Si no fuera suficiente la adhesión de Vela al elitismo orteguiano para producir este prejuicio hacia el surrealismo, se añade otra razón de hostilidad en la conexión de Vela con la vanguardia de origen futurista, también reacio al nuevo movimiento surrealista. La enemistad del gran sobreviviente de la vanguardia ultraísta, Guillermo de Torre, no busca esconder su ferocidad. En un artículo publicado sólo un mes después, De Torre reemplaza la altivez desdeñosa de Vela con una denuncia de la práctica del automatismo, a la que castiga como un delirio estéril que lleva a un fracaso total como proceso poético[15]. Queda muy evidente que De Torre es partidario de los dadaístas parisinos, de quienes el grupo surrealista capitaneado por Breton se había separado definitivamente con la publicación del *Primer manifiesto*. Es la práctica del automatismo la que atrae los comentarios más hostiles, como el del novelista Benjamín Jarnés, también conectado con las ideas de la primera vanguardia, que declara que el automatismo hace del escritor «un subhombre, un siervo limitado al pobre oficio de engrasar su propia máquina de escribir»[16]. Desde el momento de la aparición del *Primer manifiesto* se aceptó en España la equivalencia entre automatismo y surrealismo que se da en aquella definición de diccionario propuesta por Breton. De ahí sale la larga confusión sufrida tanto por los críticos como por los poetas mismos. Este enredo continuó en los años de la posguerra, afectando sobre todo las actitudes críticas hacia las obras de Lorca, Alberti y Aleixandre, que habían sido tildados de surrealistas. Esta postura adoptada por la crítica «oficial» en las primeras décadas de la dictadura, y respaldada curiosamente por algunas figu-

[15] Guillermo de Torre, «Neodadaísmo y superrealismo», *Plural*, núm. 1, enero de 1925 (recogido en *Literaturas europeas de vanguardia*, Madrid, Caro Raggio, 1925, págs. 227-238).

[16] Benjamín Jarnés, «Philippe Soupault, *En joue!*», *Revista de Occidente*, número 36 (1926), pág. 389.

ras muy eminentes de la España peregrina del exilio posbélico, es, cuando se la mira de cerca, totalmente inadmisible por la restricción impedida de la definición que supone del surrealismo. Es inadmisible con respecto a la poesía de Lorca, Alberti y Aleixandre, a pesar de las declaraciones antisurrealistas de estos dos últimos poetas. Y es inadmisible con respecto a la poesía de Cernuda[17].

Luis Cernuda y el surrealismo

Como ya hemos notado, el interés que Cernuda sentía hacia el surrealismo empezó aun antes de finalizar su primer libro de poemas, aunque sus lecturas surrealistas de aquel momento no se dejaron traslucir en su poesía. No cade duda de que estas lecturas continuaron durante su estancia en Toulouse y después de su regreso a Madrid. Desde marzo de 1930 a noviembre de 1931, Cernuda trabajó en la librería de Sánchez Cuesta, con acceso a todas las publicaciones que pasaban por ella. En su ensayo autobiográfico, «Historial de un libro», Cernuda utiliza una frase de Paul Éluard incluida en *Capitale de la Douleur* (1926), «y sin embargo nunca he encontrado lo que escribo en lo que amo», pero con los términos invertidos, para indicar su disatisfacción con los poemas de *Égloga, elegía, oda*[18]. Cernuda confiesa que compartía lo que denomina el malestar y la osadía expresados en los libros surrealistas y proclama su simpatía tanto hacia los propósitos como hacia la técnica del surrealismo. Es interesante notar que la expresión de una simpatía hacia la técnica del nuevo movimiento en aquella época sólo puede referirse a la escritura automática. Y Cernuda afirma que los poemas de sus dos libros producidos bajo el estímulo surrealista fueron escritos de una vez y sin correcciones.

---

[17] Esta introducción resume los argumentos y los comentarios expuestos en Derek Harris, *Metal Butterflies and Poisonous Lights: The Language of Surrealism in Lorca, Alberti, Cernuda y Aleixandre*, St. Andrews, La Sirena, 1998.

[18] Luis Cernuda, *Obra Completa, Prosa I*, Madrid, Siruela, 1994, pág. 631.

Cernuda define la intención de estos poemas como la búsqueda de un «equivalente correlativo» para lo que experimentaba, por ejemplo, «al ver a una criatura hermosa... o al oír un aire de *jazz*»[19]. El concepto del equivalente correlativo se refiere a una conocida idea del poeta anglosajón T. S. Eliot, que la usa para explicar algunos elementos de su propia obra que son frases o experiencias que han cobrado, de una manera arbitraria, un especial significado para él hasta llegar a ser «fórmulas de una emoción». Así, cuando se nombra la frase o se alude a la experiencia, se recrea, sin ningún recurso descriptivo, la emoción conectada arbitrariamente con la frase o la experiencia. Cernuda conocía la obra y las ideas de Eliot varios años después de su descubrimiento del surrealismo y esta explicación es, por lo tanto, fruto de un juicio crítico maduro sobre su propia obra. En el fondo, la idea del «equivalente correlativo» es un fenómeno característico del simbolismo, como el bizcocho mojado en la taza de té que devuelve a Proust el tiempo pasado. Pero el elemento de arbitrariedad en esta idea, la falta de conexión lógica entre la emoción y el fenómeno que la representa, la acerca también al ámbito surrealista, por lo menos en lo que concierne a la referencia que Cernuda hace de ella, ya que nadie se aleja más del surrealismo que Eliot.

Para defenderse contra una posible acusación de frivolidad ocasionada por su mención de jazz, Cernuda cita unas palabras de Rimbaud: «un título de *vaudeville* erguía espantos ante mí». Estas palabras se incluyen en uno de los textos que componen la secuencia «La alquimia del verbo» en la sección titulada «Delirios» del libro *Una temporada en el infierno*. La parte a la que corresponde reza así:

> Me acostumbraba a la alucinación pura: veía con toda claridad una mezquita en lugar de una fábrica, una escuela de tambores hecha por los ángeles, carruajes por los caminos del cielo, una sala de estar al fondo de un lago; monstruos, misterios; un título de teatro de variedades erguía espantos ante mí.

---

[19] *Ibíd.*, pág. 632.

> ¡Luego explicaba mis sofismas mágicos con la alucinación de las palabras!
> Acabé hallando sagrado el desorden de mi mente.

Se trata de uno de los textos de Rimbaud más significativos para los surrealistas, que le proclamaron precursor del surrealismo. Aquí se presenta de una manera tajante la imagen alucinada, el lenguaje alucinado y el resultado de una experiencia intensificada que transfigura tanto la percepción como la mente que percibe. La afinidad que Cernuda habría sentido con este texto canónico de la literatura presurrealista se traduce en el uso en su propia obra de fragmentos de títulos de películas o de la música popular norteamericana de la época del jazz, uso que se puede relacionar directamente con la práctica del *collage* promocionada por los surrealistas.

Es de suponer que datan de la estancia de Cernuda en Toulouse las traducciones que hizo de una breve selección de poemas de *L'Amour la poésie* de Éluard, publicadas con un ensayo acompañante en la revista malagueña *Litoral* en junio de 1929, época cuando la revista, bajo la influencia de Emilio Prados y José María Hinojosa, ostentaba una marcada simpatía hacia el surrealismo. El ensayo trae como lema un verso de Cernuda mismo, «sueño y pienso que vivo» (véase el apéndice «Cuatro ensayos sobre temas surrealistas» de esta edición). En el contexto original de uno de los poemas de *Perfil del aire* este verso da expresión a la languidez simbolista de este libro primerizo, pero insertadas en el nuevo contexto eluardiano estas palabras se revitalizan; el sueño adquiere una nueva dimensión con la alusión al deseo surrealista de cambiar la vida y expresar la verdadera función del pensamiento. Incluso el estilo de la prosa ensayística de Cernuda, sobre todo en el último párrafo del ensayo, revela características surrealistas como la incongruencia semántica y la yuxtaposición arbitraria.

Un ensayo aparecido en la *Revista de Occidente* en octubre de 1929 sobre Jacques Vaché, la extraordinaria figura del dandi que tanto había impresionado a André Breton, declara rotundamente la simpatía de Cernuda hacia el surrealismo al empezar con la afirmación: «El suprarrealismo, único movimiento literario de la época actual, por ser el único que sin detenerse en lo externo penetró hasta el espíritu con una inteligencia y sensibilidad propias y diferentes» (véase el apéndice «Cuatro ensayos sobre temas surrealistas» de esta edición). Cernuda conecta a Vaché con otros precursores del surrealismo, Lautréamont y Rimbaud, tres figuras que se reúnen por «su mágica juventud en total rebelión contra el mundo, contra la carne, contra el espíritu», animados por «una fuerza diabólica, corrosiva, tan admirable en su trágica violencia». Esta misma violencia corrosiva sale a relucir en la poética con que Cernuda contribuyó a la selección de sus poesías publicadas en la primera edición de 1932 de la antología de Gerardo Diego, *Poesía española* contemporánea (véase el apéndice «Dos declaraciones» de esta edición).

No cabe duda de que durante unos años Cernuda profesaba una simpatía incondicional hacia el surrealismo, movimiento que, como afirma en «Historial de un libro», fue «una corriente espiritual en la juventud de una época, ante la cual yo no pude, ni quise, permanecer indiferente»[20].

«UN RÍO, UN AMOR» Y «LOS PLACERES PROHIBIDOS»: DESENGAÑO Y REBELIÓN

En *Un Río, un Amor* domina un profundo sentimiento de desengaño ante lo que aparenta ser una experiencia erótica desastrosa, indicada por la alusión a «un amor menospreciado» y la triste condición del ahogado en el poema «Cuerpo en pena», víctima de su «emoción en ruinas». El título mismo de este poema revela un estado emocional de purgatorio erótico, que se confirma en otros títulos del libro como «Desdicha», «Destierro», «Razón de las lágrimas» y «No intentemos el amor nunca». La orientación homosexual del erotismo que se vislumbra en *Un Río, un Amor* se declara luego triunfantemente en *Los Placeres Prohibidos.* Este segundo libro también contiene una mayoría de poemas que dan la impresión de reflejar una experiencia amorosa fracasada, encapsulada en el primer verso de unos de ellos: «Qué ruido tan triste el que ha-

[20] *Ibíd.*, pág. 634.

cen dos cuerpos cuando se aman.» Pero ahora la amargura violenta del primer libro, como que el fracaso del amor ya no resulta tan insólito, se transforma en una actitud más elegíaca ante el colapso del sueño amoroso creado en la inocencia, lamentado casi en términos clásicos del *ubi sunt* al comienzo de otro poema: «¿Adónde fueron despeñadas aquellas cataratas, / Tantos besos de amante...» Así, la voz dominante del libro, aunque en otros momentos la elegía y la emoción resguardada encuentran un contrapunto en la actitud de rebelión expresada con más fuerza en el primer poema, «Diré cómo nacisteis», y continuada en el tono exaltado con el que se proclama un erotismo homosexual triunfante en poemas como «El mirlo, la gaviota» y «Los marineros son las alas del amor».

La temática de ambos libros surrealistas de Cernuda es sumamente romántica: la expresión del individuo aislado acosado por sus propias emociones violentadas en un mundo hostil a los sueños y deseos creados irónicamente para realizarse en una realidad vislumbrada pero inaccesible. Esta visión romántica se establece desde el primer poema de *Un Río, un Amor* con la figura del hombre gris vestido de traje de noche en una calle de niebla, figura que es una representación alegórica de un tiempo perdido cuando habitaba un paraíso. Es un ángel caído al que no se le ven las alas, un cuerpo vacío ignorado por los otros habitantes de la ciudad. Esta experiencia de aislamiento apenado después de un fracaso se manifiesta repetidamente en estos poemas, pero quizá aparece con más intensidad en «Cuerpo en pena», donde la figura del ahogado deja traslucir claramente su ascendencia romántica en el ahogado del famoso poema «El barco ebrio» de Arthur Rimbaud. En su purgatorio de ultratumba el ahogado de Cernuda existe en un aislamiento penal establecido por la destrucción del mundo interno de sus deseos. Es un mundo muerto sin color ni sonido en el que sólo acompañan al ahogado sus recuerdos de la catástrofe emocional que sufrió, recuerdos tan desastrosos que se han convertido en olvidos. Estos recuerdos residuales, vestigios de tristeza, de amor, de la vida, despiertan unos vagos sueños nuevos que incitan al ahogado a bogar hacia un lugar paradisíaco sin nombre. La evocación de unos paraísos terrenales forma una contrabalanza a la tristeza corrosiva que domina en el libro. Los paraísos, aunque ofrecen la posibilidad de un amor libre de fracasos, son siempre lugares muy distantes, sueños inalcanzables, como el sur idealizado de los Estados Unidos, captado de la letra de un *foxtrot* de la época, o lugares norteamericanos más específicos como Nevada y Daytona, o las islas de Tahití que aparecen en una película que Cernuda vio durante su estancia en París.

Estos paraísos representan un caso flagrante de ilusionismo y el mismo Cernuda lo reconoce en algunos poemas. Un lugar distante, Durango, que se supone ser el Durango de México o del estado norteamericano de Colorado, sufre la invasión del hambre, miedo y frío, perdiendo toda posibilidad de mantener una dimensión paradisíaca. En la fábula del mar insomníaco relatada en el poema «No intentemos el amor nunca», el mar emprende un viaje parecido a la fuga hacia lo lejos del ahogado en «Cuerpo en pena», y llega a lugares presuntamente empíreos como Cielo Sereno o como Colorado, pero no ofrecen ningún sustento para el amor que buscaba. Desengañado, el mar vuelve a la soledad vacía de su limbo de tristeza. La desilusión se declara tajantemente en «La canción del oeste», con el deseo de suprimir en un olvido total las memorias tristes del amor y toda esperanza del futuro que el oeste simboliza. Esta amargura nihilista halla su expresión más violenta en el poema titulado irónicamente «¿Son todos felices?», en el que la llamada a la destrucción total incluye una dimensión de denuncia social hacia los valores de la sociedad burguesa como el honor, el patriotismo y el sacrificio.

Esta voz de denuncia es la que reaparece en el primer poema de *Los Placeres Prohibidos* atacando las leyes hediondas de una sociedad corrompida y profetizando la destrucción de esta sociedad por el poder elemental de los placeres prohibidos que dicha sociedad intenta suprimir. La agresión con la que empieza el libro luego se bifurca en dos vertientes: una tentativa muy cautelosa de reconstruir el sueño erótico destrozado y una tentativa concomitante de proporcionar al nuevo sueño una fuerza elemental capaz de resistir los poderes antagónicos de la sociedad a los que se echa la culpa por el fracaso del amor. La contemplación de este fracaso ocupa la mayoría de los poemas, aunque unos pocos y sobre todo los poemas en prosa toman un tono angustiado. Los otros buscan establecer las causas del fracaso y miran hacia un futuro, a diferencia de la mirada hacia una distancia geográfica imposible en *Un Río, un Amor,* cuando la tarea de recuperación del ideal erótico se haya completado y el amor se haga posible otra vez. La aserción triunfante de una fe recobrada en la vida, que se hace en «El mirlo, la gaviota», por ejemplo, es el resultado de dos evoluciones en la circunstancia del poeta: la aceptación de su homosexualidad ahora llega a una declaración pública en varios poemas donde no se recela el homoerotismo y al mismo tiempo se rescata el ideal erótico por el sofisma de culpar al deseo personal por el fracaso del pasado, elevando el deseo a un fenómeno suprapersonal que emana de las fuerzas elementales de la naturaleza. Así, el deseo, que vuelve a identificarse con la vida, adquiere un poder suprahumano que lo libra de las inhibiciones y contaminaciones de la sociedad burguesa.

El lenguaje surrealista

La fuerte presencia de la temática neorromántica en *Un Río, un Amor* y *Los Placeres Prohibidos* se refleja en unos elementos estilísticos igualmente neorrománticos como, por ejemplo, el uso de la alegoría en «Cuerpo en pena» y «Remordimiento en traje de noche» del primer libro surrealista. No todos los poemas de estas colecciones son enteramente surrealistas, sino una mezcla de elementos surrealistas y románticos. Algunos poemas ni siquiera revelan una mínima presencia surrealista, como es el caso de «Como el viento», también de *Un Río, un Amor*. Sin embargo, en otros textos los procedimientos alegóricos de la personificación abandonan la analogía mimética para efectuar la combinación de objetos, fenómenos y emociones en un desafío a las leyes de la lógica que produce la imagen alucinada del surrealismo. Así, en *Un Río, un Amor* se halla «una luz que piensa», «frío que sonríe insinuando», «un grito acaso pasa disfrazado con luces», «la revolución, abanico en la mano», entre otros muchos ejemplos. La existencia de tales imágenes al lado de imágenes de una estirpe romántica convencional crea un efecto de hibridación estilística en el que los componentes románticos y surrealistas se manifiestan en distintas proporciones en distintos poemas. En ciertos casos, los dos componentes estilísticos de un texto se separan claramente, como en «Nocturno entre las musarañas», poema en el que la hipotaxis creada por enumeración y anáfora se hace un vehículo para una secuencia de imágenes libremente asociativas:

> Cuerpo de piedra, cuerpo triste
> Entre lanas como muros de universo,
> Idéntico a las razas cuando cumplen años,
> A los más inocentes edificios,
> A las más pudorosas cataratas,
> Blancas como la noche, en tanto la montaña
> Despedaza formas enloquecidas,
> Despedaza dolores como dedos,
> Alegrías como uñas.

El verso inicial es una imagen convencional de entumecimiento emocional, y el verso segundo también podrá interpretarse lógicamente si se lee «lanas» como una metonimia de las mantas de la cama que funcionan como una metáfora para las fuerzas de proporciones gigantescas que aprisionan al sujeto poético en una meditación insomníaca sobre la triste experiencia de la vida. Pero el tercer verso introduce un desvío semántico radical que rompe la línea asociativa y que se sugiere quizás por la asonancia de «lanas» y «razas», lo que supone un desarrollo léxico en el texto provocado por la fonética fuera del control semántico. Este símil ostenta la misma falta descabellada de congruencia que los símiles violentos de Lautréamont. Al establecer así la figura retórica del símil, siguen cinco símiles más en los seis versos siguientes, como si la estructura sintáctica y la repetición anafórica llevasen el control del desarrollo textual. Es posible también que el léxico, y los desvíos semánticos, se produzcan fonéticamente: «cataratas» se asocia aliterativamente con «cuerpo» y la secuencia «blancas - montañas - despedaza» continúa la asonancia en «a-a». Los versos 7 y 8, aparte de la estru ctura semántica, se forman de una secuencia homofónica. La fuerte concordancia fonética producida por la repetición paralelística de «despedaza» fomenta con la aliteración de la «d» las palabras «dolores» y «dedos» y hace eco en otras palabras con los fonemas «or» y «lo» y la repetición de la vocal «o». Así se produce un efecto de alucinación tanto imaginística como fonética en estos versos que dan la impresión de autogenerarse por una doble vía asociativa y homofónica.

Sin embargo, las dos estrofas que completan el poema se desarrollan sin el efecto ilogicista. Se cambia el discurso a una evidente modalidad romántica señalada con la ineludible alusión en el primer verso de la estrofa penúltima, «No saber dónde ir, dónde volver», a un conocido verso de Rubén Darío: «¡Y no saber adónde vamos, / ni de dónde venimos!»[21]. También de raigambre romántica es el uso de imágenes antropomórficas del mundo natural con las que se expresa la búsqueda de una fuerza consoladora que mitigue el dolor de los deseos mutilados y que permita que brote otra vez la flor inocente del ideal. Al establecer la flor como el icono del deseo se combina con la imagen de la mano de la primera estrofa para formar un concepto que se acerca más al neogongorismo que al surrealismo. Los pétalos cerrados de la flor son como un puño que se abrirá al recibir un beso y los dedos que se abren equivalen a labios, dobles compuertas que conducen al olvido de sí mismo en el acto erótico, lo que sugiere que la flor es una adormidera.

La dimensión neorromántica de un texto como «Nocturno entre las musarañas» es innegable, pero también innegable es la dimensión surrealista presente en las imágenes y la expresión. Algunas imágenes llevan la impronta alucinada del surrealismo y el desarrollo del texto parece obedecer en parte a estímulos extrasemánticos como la aliteración y la homofonía. La generación fonémica es una característica de estos poemas de Cernuda, provocando saltos inesperados en el léxico. Miremos algunos ejemplos sacados de otros poemas, empezando con estos versos de «Habitación de al lado»: «Mirad venci-

---

21 La fuente dariana es el poema «Lo fatal», incluido en *Cantos de vida y esperanza.*

do olvido y miedo a tantas sombras blancas / Por las pálidas dunas de la vida, / No redonda ni azul, sino lunática, / Con sus blancas lagunas, con sus bosques / En donde el cazador si quiere da caza al terciopelo.» El juego de aliteraciones y repeticiones homofónicas llega aquí a una intensidad totalmente fuera de lo normal, y cuando estos efectos fonéticos se añaden a la sintaxis quiástica e hipotáctica se produce una calidad incantatoria que culmina en la imagen de incongruencia semántica que da remate a la frase. Incluso se puede pensar que estos efectos fonéticos y sintácticos provocan la imagen final cuya única justificación «racional» es la asonancia que une «terciopelo» con «miedo». Baste otro ejemplo para confirmar la generación léxica a base de estímulos fonéticos: «Mas de noche un gemido son las olas / De mármol encendido, / Corolas fatigadas / O lascivas columnas.» En estos versos de «Mares escarlata», en adición a la aliteración sostenida, la homofonía reúne y posiblemente genera los vocablos «gemido» y «encendido», «olas» y «corolas», «corolas» y «columnas», y «fatigadas» y «lascivas», que representan precisamente las yuxtaposiciones léxicas sorprendentes asociadas con el surrealismo.

«Como la piel», el último poema de *Un Río, un Amor,* es un ejemplo de un texto dominado por las imágenes y la escritura del surrealismo. Los procedimientos de activación y personificación rompen violentamente las normas convencionales de estas figuras retóricas. «Ventana huérfana con cabellos habituales», «espejos vivos» prostituidos, «luces venenosas» y «luces como lenguas hendidas» son imágenes que han abandonado la relación mimética entre el objeto inanimado y el mundo humano o sensible. Se produce así una serie de elementos posesos de una energía irracional para crear el efecto alucinatorio de un mundo habitado por entidades agresivas que dispensan dolor y degradación. El efecto se subraya con la expresión hipotáctica, enumerativa y anafórica. Lo conocido y lo comprensible quedan desnaturalizados y se desestabiliza la lectura del texto que busca interpretar racionalmente el desarrollo semántico. Este proceso de investir el texto mismo con la capacidad de inhibir la experiencia del control lógico en la lectura por la parte del lector empieza desde la primera imagen. «Ventana huérfana» es una personificación muy violenta de un objeto inanimado producida por la yuxtaposición de dos lexemas semánticamente incompatibles en el uso normal. Las asociaciones emotivas de pérdida y aislamiento denotadas por «huérfana» no afectan emotivamente a «ventanas». La patética falacia romántica que hubiera resultado de una personificación convencional no tiene nada que ver en esta imagen surrealista cuyo fin es ensanchar los límites racionales de la realidad cotidiana. Es de notar también que las dos palabras riman, como si la yuxtaposición sorprendente y creativa se hubiera provocado por un accidente fonético. Otra posible ocurrencia de lexemas generados fonémicamente se halla en la secuencia aliterativa que pasa por las dos últimas estrofas: «adormideras - alambre - angustia - alcohol amarillento - algún - abandona - azar». «Como la piel» es un texto que resiste el control de una lectura racional y continuamente se presenta como capacitado de organizar su propia dirección.

La imagen alucinatoria creada por la activación antropomórfica es más característica de *Un Río, un Amor* que de *Los Placeres Prohibidos,* quizás porque en el primer libro domina una expresión descriptiva y narrativa apta para la representación de visiones. La expresión más discursiva del segundo libro lleva a un estilo más meditativo en el que se nota una mayor parte de activación lingüística en el efecto alucinatorio de los poemas. Esta característica del estilo de *Los Placeres Prohibidos* se evidencia en el paralelismo, la enumeración y la anáfora de muchos poemas que provocan una sintaxis en fuga hipotáctica. Esta calidad fugitiva del lenguaje se acentúa con la repetición y la aliteración, como en el efecto de encadenamiento que llena la primera estrofa de «Los marineros son las alas del amor» de elementos homofónicos y homofénicos para producir la impresión de que el texto se ha dictado arbitariamente por semejanzas fónicas y visuales. Tales procedimientos crean un tono más elegíaco que el que resulta de las alucinaciones agresivas de *Un Río, un Amor*. Por ejemplo, en «Qué ruido tan triste», la lamentación ocasionada por la angustia erótica se expresa inicialmente con una imagen alucinada de una lluvia de manos, pero rápidamente se pasa de la alucinación imaginística a una autogeneración léxica que sale de las primeras imágenes del texto por una doble vía asociativa y fonética. Se presentan extrañas transformaciones: las manos antes fueron flores en un bolsillo, y las flores son arena mientras que los niños son hojas. La estrofa final se redacta casi completamente de los materiales imaginísticos de los versos precedentes, niños, manos, bolsillos, arena y flores, barajados arbitrariamente para yuxtaponerlos en un orden nuevo. De esta manera, se subvierte la función normal del ritornelo. Aquí no se reanudan los hilos temáticos del texto para confirmar su coherencia, sino se reestructuran estos sememas para desestabilizar la posible coherencia racional del texto. El sistema de imágenes establecido en el poema domina toda pretensión lógica y el texto termina escribiéndose a sí mismo a base de este sistema.

La presencia surrealista se halla en su forma más acentuada en los poemas en prosa de *Los Placeres Prohibidos,* como, por ejemplo, «Sentado sobre un golfo de sombra». La hipotaxis fugitiva producida en parte por la anáfora es característica del surrealismo, como también las imágenes creadas por yuxtaposiciones incongruentes, «tempestad orquestada» y «cariátides fraudulentas». Algunos elementos parecen totalmente arbitrarios, como la acción de subir a las cariátides para gritar sobre la arcilla y la lana, y volver las manos del revés. Estas acciones dan al sujeto poético la posibilidad de tenderse bajo su propia sombra, algo imposible según las leyes de la física, ya que la sombra sólo puede existir si el cuerpo se localiza entre ésta y la fuente luminosa que la produce. Así, en un texto de rebelión contra la identidad y la sexualidad reprimidas, el fondo temático neorromántico se expresa con el irracionalismo que suscita el surrealismo.

El poeta mexicano Octavio Paz, el crítico más sagaz de la poesía de Cernuda y él mismo influido por el surrealismo en su juventud, hace el siguiente comentario al significado de la época surrealista de Cernuda que viene aquí muy a propósito: «... para Cernuda el surrealismo fue algo más que una lección de estilo, más que una poética o una escuela de asociaciones e imágenes verbales: fue una tentativa de encarnación de la poesía en la vida, una subversión que abarcaba tanto al lenguaje como a las instituciones. Una moral y una pasión. Cernuda fue el primero, y casi el único, que comprendió e hizo suya la verdadera significación del surrealismo como movimiento de liberación —no del verso sino de la conciencia...»[22].

Otros poemas surrealistas

Para el conocimiento más completo de la época surrealista de Cernuda se incluyen en apéndice a esta edición un conjunto de poemas no incluidos en los dos libros surrealistas. De la época de *Un Río, un Amor* se conservan nueve poemas no incluidos en el libro. Existen además once textos que formaban parte en un momento dado de una versión primitiva de *Los Placeres Prohibidos*. Se hallaron entre los papeles que Cernuda dejó en la casa madrileña de su hermana cuando se marchó de España durante la Guerra Civil, agrupados bajo la etiqueta «poesías rechazadas». El epíteto no supone una actitud totalmente negativa, ya que uno de los poemas de la época del primer libro se publicó en la *Antología* de Gerardo Diego en 1932, y el hecho de que Cernuda los había guardado indica que se trata de textos apartados pero todavía disponibles. Si no el poeta los habría destruido. En efecto, los poemas en prosa incluidos por primera vez en *Los Placeres Prohibidos* en la edición de *La Realidad y el Deseo* de 1958 se sacaron de este conjunto de «poesías rechazadas».

Con estos textos adicionales se amplía significativamente el contexto surrealista de la obra de Cernuda entre 1929 y 1931. Parece que ambos poemarios surrealistas, en versiones primitivas, tenían una extensión más amplia. Se sabe que tres de los poemas de la época de *Un Río, un Amor* pertenecían en un momento dado a un conjunto que probablemente era el libro *Cielo sin dueño*, título primitivo del primer libro surrealista de Cernuda. Adjunto al tiposcrito de la primera versión de *Los*

[22] Octavio Paz, «La palabra edificante» [1964], recogido en Harris (1977), pág. 143.

Placeres Prohibidos se halla un índice del libro en el que se incluyen diez de los doce textos rechazados del segundo libro. Así, muchos de estos textos, y quizás todos, formaron parte de versiones putativas de las dos colecciones surrealistas. Tienen por lo tanto un interés intrínseco y ofrecen un contexto más amplio para la investigación de la época surrealista de Cernuda. Además, un análisis de las posibles razones de su exclusión de los libros publicados puede iluminar la estética y la práctica del poeta en esta época. Los poemas asociados con el primer libro revelan en muchos casos los iniciales pasos inseguros hacia la escritura surrealista. Los textos luego excluidos del segundo libro descubren que la adhesión de Cernuda al surrealismo resultó más fuerte de lo que se hubiera supuesto con sólo el testimonio de *Los Placeres Prohibidos.*

Los poemas de la época de *Un Río, un Amor* corresponden a una gama estilística muy ancha que refleja la diferenciación de estilos que se manifiesta en este libro. Hay tres poemas-canciones, «No es nada», «Mano a mano» y «Destino», los dos primeros en eneasílabos y el otro en heptasílabos, junto con otros cuatro poemas en verso libre con una redacción convencional impresionista-simbolista, «La noche, el baile», «Envío de flores», «Ojos de agua» y «Por qué los pájaros pequeños no tocan la mandolina»; de este último sólo el título lleva un aire surrealista. Estos poemas podrán categorizarse como composiciones intermedias entre la poesía primeriza de Cernuda y la nueva manera surrealista que ensaya durante su estancia en Toulouse, como composiciones de la índole de «Como el viento», incluido en el primer libro surrealista del poeta. En los dos poemas restantes se presentan las imágenes alucinatorias creadas por la activación antropomórfica y la combinación de aliteración e hipertaxis en la expresión, que se han notado como características del lenguaje surrealista. El rechazo de los poemas más convencionales y su exclusión hipotética de *Un Río, un Amor* es fácil de comprender: su presencia en el libro hubiera cambiado fuertemente la proporción de poemas más convencionales con respecto a las composiciones más afines al surrealismo. El impacto del libro como un paso nuevo en el desarrollo de la obra de Cernuda habría disminuido así notablemente. Curiosamente, dos de los otros poemas, «Pequeña caballera rubia» y «Alguien más», constan sin duda como parte de la versión primitiva del libro, e incluso se sabe el lugar que ocuparon en ella. Son, además, las dos composiciones más surrealistas de este conjunto de poesías rechazadas que habrían reforzado la parte surrealista del libro. La única posible debilidad aparente es quizá el carácter melodrámatico de lo que se supone es el apodo «Ojos de la Tormenta» que aparece en «Alguien más», aunque este poema sea el único que llegó a publicarse. Se supone que las razones para la exclusión de estos dos poemas son de orden personal, autobiográfico, y no de desestimación estética.

Parece evidente que en algunos casos los poemas que se eliminaron de la versión primitiva de *Los Placeres Prohibidos* son reformulaciones de textos que se mantuvieron en la versión definitiva o llevan ecos de otros textos. Así, la eliminación se explica por razones estéticas y la supresión de repeticiones. «La libertad tú la conoces» se parece mucho a «Si el hombre pudiera decir» en la exaltación de la libertad. Además, estos dos poemas son casi contiguos en la versión primitiva, separados por sólo un texto, y el poema rechazado es inferior por la sencillez en la expresión al poema mantenido. El poema en prosa «Era un poco de arena» se parece a «Había en el fondo del mar» y a «Sentado sobre un golfo de sombra», y, por añadidura, es otro texto más débil por la sencillez de la expresión. «Sudarios que algún día» contiene la imagen «la mano de yeso cortada» que aparece también en «Había en el fondo del mar», y quizá se eliminó por esta razón, aunque en sí es un poema muy logrado y con una dimensión surrealista más marcada que algunos de los poemas mantenidos. Pero, dada la renuencia por parte de Cernuda a retocar los textos una vez producidos, es posible que desistiera de la tentación de emprender lo que hubiera sido una reescritura del texto para eliminar la repetición. «Había en el fondo del mar» es un texto superior, y se supone aquí que un juicio de orden estético explica la selección. Es más difícil justificar la exclusión de otros textos «rechazados». Es de notar que la mayoría de los «rechazados» son de los más surrealistas del libro primitivo, sin la hibridación romántico-surrealista de muchas de las composiciones que pasaron a la versión definitiva. Son poemas que revelan claramente la impronta de la producción textual a base de aliteración y homofonía que se ha identificado como carácterística del estilo surrealista. Véanse algunos ejemplos: «Cazadoras de cabelleras cabalgando el destino»; «Malicia que se ignora morbideces esbeltas / Para morir...»; «Juventud manchada de granados / Triunfa el maleficio del metal persistente»; «Luciérnaga colérica cuya codicia excitaron agujas / aunque ignores es verdad el nudo en la corteza». Además, el largo texto en prosa «Sentí un dolor en el pecho», que originalmente era el primero de la secuencia de poemas en prosa intercalados en *Los Placeres Prohibidos* a partir de 1958, da la impresión de ser el relato de un sueño a la manera surrealista. Igual impresión se percibe en la segunda mitad suprimida de la versión original del poema en prosa «En medio de la multitud». La presencia de los textos «rechazados» en la versión primitiva de *Los Placeres Prohibidos* produce un libro de una naturaleza mucho más surrealista que la versión definitiva. Aunque no se sabe exactamente cuándo revisó Cernuda el contenido del libro, tendrá que haberse hecho entre la conclusión del libro en junio de 1931 y la publicación de la primera edición de *La Realidad y el Deseo* en abril de 1936. Cabe suponer, dado el carácter predominantemente surrealista de los textos rechazados, que la nueva redacción del libro corresponde a la época en que Cernuda se distanció del surrealismo porque creía que había degenerado en fórmula poética y cuando el espíritu de rebelión que le había atraído al surrealismo se iba convertiendo en una simpatía hacia el comunismo. Es decir, que la versión de *Los Placeres Prohibidos* que se integró en *La Realidad y el Deseo,* aun en la versión aumentada con los poemas en prosa, no deja ver la verdadera extensión y profundidad de la adhesión de Cernuda al surrealismo.

Ensayos y declaraciones

Para redondear la producción literaria de Cernuda escrita bajo el estímulo del surrealismo, se incluyen en apéndice seis textos en prosa, cuatro ensayos y dos declaraciones. Los ensayos revelan la extensión del interés de Cernuda por el surrealismo y su actitud frente al movimiento surrealista cuando leía a los surrealistas franceses y emprendía su propia tentativa de absorber en su obra y su vida los propuestos surrealistas. Las dos declaraciones son más bien protomanifiestos, el primero correspondiente a la rebelión surrealista y el segundo a la adhesión a la revolución comunista donde acabaron muchos de los escritores que pasaron por la experiencia surrealista.

Esta edición

Todos los textos de Cernuda incluidos en esta edición se reproducen de la edición crítica de la *Obra Completa* del poeta publicada en Madrid, Ediciones Siruela, t. I, *Poesía completa,* 1993, t. II y t. III, *Prosa I* y *Prosa II,* 1994. Se remite al lector a «Los criterios de la edición» al comienzo de los tomos I y II de dicha *Obra Completa.*

Las notas a las poesías y los textos en prosa recogen la fecha de redacción y de la primera publicación anterior a 1936, si consta. Las fechas de la mayoría de los poemas proceden de un ejemplar de la primera edición de *La Realidad y el Deseo* (1936) conservado en los archivos de Ángel María Yanguas Cernuda, en el que Cernuda anotó la fecha y lugar de redacción de todos los poemas. En otros casos, las fechas proceden de los manuscritos de los textos. La anotación de variantes con respecto a los manuscritos o primera publicación sólo se hace en casos significativos. No se han anotado las variantes de las primeras versiones publicadas de los poemas antes de incorporarse a *La Realidad y el Deseo* en 1936 porque son de poca importancia. Una presentación exhaustiva de todas las variantes se halla en Luis Cernuda, *Obra Completa,* t. I, *Poesía completa,* Madrid, 1993.

Bibliografía

Esta bibliografía se limita, salvo en algún caso imprescindible, a publicaciones en lengua española. No se anotan individualmente artículos recogidos en los libros de recopilaciones incluidos aquí. Una bibliografía exhaustiva sobre Cernuda, que incluye publicaciones aparecidas hasta el año 1990, se halla en Luis Cernuda, *Obra Completa,* t. II, Madrid, Siruela, 1994. Otras referencias a la bibliografía crítica sobre textos individuales se dan en las notas a estos textos.

Obras generales

Bermúdez, Lola *et al.* (eds.), *Dada-surrealismo: precursores, marginales y heterodoxos,* Cádiz, Universidad de Cádiz, 1986.

Bodoni, Vittorio, *Los poetas surrealistas españoles,* Barcelona, Tusquets, 1971.

Bonet Correa, Antonio, *El surrealismo,* Madrid, Cátedra, 1983.

Breton, André, *Manifiestos del surrealismo,* Madrid, 1974.

Corbalán, Pablo, *Poesía surrealista en España,* Madrid, Ediciones Centro, 1974.

Earle, Peter G. y Gullón, Germán, *Surrealismo/surrealismos. Latinoamerica y España,* Filadelfia, University of Pennsylvania, 1977.

Feal, Carlos, «Un caballo de batalla: el surrealismo español», *Bulletin Hispanique,* LXXXI, 1979.

García de la Concha, Víctor (ed.), *El surrealismo,* Madrid, Taurus, 1982.

García Gallego, Jesús, *La recepción del surrealismo en España (1924-1931),* Granada, Ubago, 1984.

— (ed.), *Surrealismo. El ojo soluble. Litoral*, Málaga, 1987.
— (ed.), *Bibliografía y crítica del surrealismo y la generación del veintisiete*, Málaga, Centro Cultural de la Generación del 27, 1989.
ILIE, Paul, *Los poetas surrealistas españoles*. Madrid, Taurus, 1972.
MORRIS, C. Brian, *Surrealism and Spain: 1920-1936*. Cambridge, Cambridge University Press, 1972.
— «La generación de 1927: de la vanguardia al surrealismo», en F. Rico (ed.), *Historia crítica de la literatura española*, t. 7/1. *Época contemporánea 1914-1939*. 1.er suplemento, Agustín Sánchez Vidal (ed.), Barcelona, Crítica, 1995, págs. 162-178.
NADEAU, Maurice, *Historia del surrealismo*. Barcelona, Ariel, 1972.
ONÍS, Carlos Marcial, *El surrealismo y cuatro poetas de la generación del 27*, Madrid, Porrúa, 1974.
SORIA OLMEDO, Andrés, *Vanguardismo y crítica literaria en España*, Madrid, Istmo, 1988.

BIBLIOGRAFÍA CRÍTICA
SOBRE LA POESÍA SURREALISTA DE CERNUDA

BELLVER, Catherine G., «La ciudad en la poesía española surrealista», *Hispania*, núm. 66 (1983), págs. 542-551.
— «*Un Río, un Amor* y el viaje hacia la nada», *Ínsula*, núm. 592 (1996), págs. 17-21.
CAPOTE BENOT, José M.ª, *El surrealismo en la poesía de Luis Cernuda*, Sevilla, Universidad de Sevilla, 1976.
— «Un poema surrealista inédito de Luis Cernuda», *Cuadernos Hispanoamericanos*, núm. 316 (1976), págs. 66-76.
DURÁN GILI, Manuel, «Luis Cernuda», *El superrealismo en la poesía española contemporánea*, México, Universidad Nacional, 1950, páginas 91-94.
FERRATÉ, Juan, «Luis Cernuda y el poder de las palabras», *Dinámica de la poesía*, Barcelona, Seix Barral, 1968, págs. 335-358.
GARCÍA DE LA CONCHA, Víctor, «Aleixandre y Cernuda en el surrealismo español», *La poesía española de 1935 a 1975. I. De la preguerra a los años oscuros. 1935-1944*, Madrid, 1987, págs. 37-43.
GEIST, Anthony L., «Las declinaciones del deseo. Surrealismo e ideología en *Un Río, un Amor* de Luis Cernuda», en T. Albaladejo (ed.),

Las vanguardias. Renovación de los lenguajes poéticos (t. 2), Madrid, Júcar, 1992, págs. 169-190.

GIL DE BIEDMA, Jaime, *3 Luis Cernuda*, Sevilla, Universidad de Sevilla, 1977.

HARRIS, Derek, *Luis Cernuda*, Madrid, Taurus, 1984.

— «La escritura surrealista de *Un Río, un Amor* de Luis Cernuda», *Ínsula*, núm. 515 (1989), págs. 15-17.

— *La poesía de Luis Cernuda*, Granada, Universidad de Granada, 1992.

LÓPEZ ESTRADA, Francisco, «Estudios y cartas de Cernuda 1926-1929», *Ínsula*, núm. 207, febrero de 1964, págs. 3 y 16-17.

MARISTANY, Luis, *La Realidad y el Deseo*, Barcelona, Laia, 1982.

MORRIS, C. Brian, «Un poema de Luis Cernuda y la literatura surrealista», *Ínsula* (Madrid), núm. 299 (1971), pág. 3.

QUIRARTE, Vicente, *La poética del hombre dividido en la obra de Luis Cernuda*, México, 1985.

RUIZ SORIANO, Francisco, «Eliot, Cernuda y Alberti: la ciudad vacía», *Cuadernos Hispanoamericanos*, núms. 539-540 (1995), páginas 43-54.

SERRANO ASENJO, José Enrique, «"Estar cansado tiene plumas" (1936): Cernuda leído por Tomás Serral», *La recepción del texto literario*, Madrid, Casa de Velázquez, 1988, págs. 207-218.

SILVER, Philip, *Luis Cernuda, el poeta en su leyenda*, 2.ª ed. aumentada, Madrid, Castalia, 1995.

TALENS, Genaro, *El espacio y las máscaras. (Introducción a la lectura de Cernuda)*, Barcelona, Anagrama, 1975.

ULACIA, Manuel, *Luis Cernuda: Escritura, cuerpo y deseo*, Barcelona, Laia, 1984.

VILLENA, Luis Antonio de, «Luis Cernuda y el fuego superrealista», *Ínsula*, núm. 337 (1974), pág. 4.

*Un Río, un Amor**
[1929]

* En su versión original, esta colección de poemas llevó el título de *Cielo sin dueño;* los tres primeros poemas llevaron este título común al publicarse en la revista malagueña *Litoral* en mayo de 1929, y en una carta de octubre del mismo año Cernuda confirma que es el título del libro (López Estrada, 1964, página 17). En la misma carta afirma que el libro se publicará en la editorial C.I.A.P. (Compañía Ibero-americana de Publicaciones), y según parece el proyecto de publicación había llegado a un estado bastante avanzado, ya que Cernuda comenta que el libro llevará un prólogo de Pedro Salinas que la editorial había pedido «como necesario». El libro no llegó a publicarse, debido sin duda a la quiebra de la editorial. Al año siguiente, dos poemas del libro aparecieron en *Nueva Revista* bajo el título común en inglés *A Little River A Little Love [Un pequeño río un pequeño amor],* título que suena, sobre todo por el uso del original inglés, como un *collage* sacado de una canción de la música popular norteamericana. Se trata de la fuente del título definitivo que encabeza dos poemas publicados en la revista *Poesía* en 1931. Los poemas publicados en revista, salvo los cuatro primeros, aparecieron sin puntuar, característica de la poesía de vanguardia y de algunos surrealistas franceses como André Breton y Louis Aragon. *Un Río, un Amor* no se publicó como libro hasta 1936 al incorporarse en la primera edición de *La Realidad y el Deseo,* obra que reúne la poesía de Cernuda escrita entre 1924 y 1935.

REMORDIMIENTO EN TRAJE DE NOCHE*

Un hombre gris avanza por la calle de niebla;
No lo sospecha nadie. Es un cuerpo vacío;
Vacío como pampa, como mar, como viento,
Desiertos tan amargos bajo un cielo implacable.

Es el tiempo pasado, y sus alas ahora 5
Entre la sombra encuentran una pálida fuerza;
Es el remordimiento, que de noche, dudando,
En secreto aproxima su sombra descuidada.

No estrechéis esa mano. La yedra altivamente
Ascenderá cubriendo los troncos del invierno. 10
Invisible en la calma el hombre gris camina.
¿No sentís a los muertos? Mas la tierra está sorda.

---

* Fecha: Toulouse, 15 de abril de 1929. Publicación: *Litoral*, núm. 8 (mayo de 1929), págs. 5-6. La referencia a «pampa» en el verso 3, junto con otros ecos en otros poemas, sugiere la frase «Il faut que j'entend des galops vertigineux dans les pampas» que aparece en el párrafo final del texto «Saisons» en *Les Champs magnétiques*, el libro de 1919 escrito automáticamente por André Breton y Philippe Soupault.

Este poema presenta inmediatamente la característica antropomorficación alegórica de una abstracción sentimental, fenómeno que aquí queda a un nivel convencional, sin la presencia de elementos ilógicos en la alegoría que la acercaría a la práctica surrealista. A pesar de ser la figura del noctámbulo urbano un tópico frecuente en escritores surrealistas franceses (véase Morris, 1971), se revela aquí el trasfondo romántico de muchos poemas de la etapa surrealista de Cernuda. El tema, igualmente romántico, del ángel caído se encuentra de una forma más desarrollada en *Sobre los ángeles* de Rafael Alberti. La figura del cuerpo vacío se manifiesta asimismo en *El hombre deshabitado* (1931) de Rafael Alberti y en *Poeta en Nueva York* (1929-1930) de Federico García Lorca. Cernuda comentó *(Obra Completa. Prosa I,* Madrid, Siruela, 1994, pág. 635) que al comenzar *Un Río, un Amor* había encontrado dificultad en el uso del verso libre, por lo tanto los primeros poemas del libro se escribieron en cuartetos alejandrinos sin rima. Aunque el uso del verso libre es frecuente en la poesía surrealista francesa, no es normativo, y varios poetas franceses hacían uso de la métrica convencional.

QUISIERA ESTAR SOLO EN EL SUR*

Quizá mis lentos ojos no verán más el sur
De ligeros paisajes dormidos en el aire,
Con cuerpos a la sombra de ramas como flores
O huyendo en un galope de caballos furiosos.

El sur es un desierto que llora mientras canta, 5
Y esa voz no se extingue como pájaro muerto;
Hacia el mar encamina sus deseos amargos
Abriendo un eco débil que vive lentamente.

En el sur tan distante quiero estar confundido.
La lluvia allí no es más que una rosa entreabierta: 10
Su niebla misma ríe, risa blanca en el viento.
Su oscuridad, su luz son bellezas iguales.

---

* Fecha: Toulouse, 20 de abril de 1929. Publicación: *Litoral*, núm. 8 (mayo de 1929), pág. 5.

El título se deriva de un *foxtrot* de la época, otro ejemplo de *collage* tomado de la música norteamericana. El sur al que el poema se refiere está, por lo tanto, localizado en Estados Unidos y no en Andalucía *(Obra Completa, Prosa I,* Madrid, Siruela, 1994, pág. 635). Una visión nostálgica de los estados sureños es un tópico frecuente en la música popular norteamericana influida por el jazz. La evocación de paraísos terrenales, libres del desengaño sentimental, cuyas fuentes se encuentran en el cine o la música popular de los años 20 es una característica de *Un Río, un Amor*, sobre todo. El verso 4 presenta otro eco de la frase de *Les Champs magnétiques* notado con respecto al poema «Remordimiento en traje de noche».

SOMBRAS BLANCAS*

Sombras frágiles, blancas, dormidas en la playa,
Dormidas en su amor, en su flor de universo,
El ardiente color de la vida ignorando
Sobre un lecho de arena y de azar abolido.

Libremente los besos desde sus labios caen 5
En el mar indomable como perlas inútiles;
Perlas grises o acaso cenicientas estrellas
Ascendiendo hacia el cielo con luz desvanecida.

Bajo la noche el mundo silencioso naufraga;
Bajo la noche rostros fijos, muertos, se pierden. 10
Sólo esas sombras blancas, oh blancas, sí, tan blancas.
La luz también da sombras, pero sombras azules.

---

* Fecha: Toulouse, 21 de abril de 1929. Publicación: *Litoral*, núm. 8 (mayo de 1929), pág. 6.

El título se deriva de una de las primeras películas con banda sonora, *White Shadows in the South Seas [Sombras blancas en los mares del sur]*, que Cernuda había visto en París en 1929 *(Obra Completa, Prosa I,* Madrid, Siruela, 1994, página 635). Curiosamente, la misma imagen, «les ombres blanches», aparece en la octava poesía de la sección «Seconde nature» del libro de Paul Éluard, *L'Amour, la poésie,* que apareció en marzo de 1929. Las versiones de algunos poemas de este libro que hizo Cernuda en 1929 datan de abril o mayo de este año.

CUERPO EN PENA*

Lentamente el ahogado recorre sus dominios
Donde el silencio quita su apariencia a la vida.
Transparentes llanuras inmóviles le ofrecen
Árboles sin colores y pájaros callados.

Las sombras indecisas alargándose tiemblan, 5
Mas el viento no mueve sus alas irisadas;
Si el ahogado sacude sus lívidos recuerdos,
Halla un golpe de luz, la memoria del aire.

---

* Fecha: Toulouse, 29 de abril de 1929. Publicación: *Revista de Occidente*, núm. XXVI (noviembre de 1929), págs. 158-160.

La evocación de este purgatorio corpóreo submarino desarrolla la técnica de la antropomorficación o activación alegóricas, ya notada en el primer poema del libro, hasta un nivel surrealista en el que se sobrepasa las analogías limitadas por la lógica en la alegría convencional. El poema termina con otra evocación de un paraíso terrenal al que se dirige el hombre ahogado, supuestamente en el río del amor, para buscar allí refugio de la ruina emocional. Así se revela claramente la dimensión evasiva de la actitud vital presentada en *Un Río, un Amor*.

Este poema manifiesta una gran variedad de fuentes. Existe un plano autobiográfico relacionado con la estancia de Cernuda en Toulouse; en una carta escrita el 17 de noviembre, poco después de su llegada a la ciudad francesa, se lee: «Estoy instalado, al fin, en un barrio, distante; barrio rodeado de jardines, de parques silenciosos. Hace frío; hay niebla y lluvia» (López Estrada, 1964, pág. 16). Cernuda se hospedaba en la calle Benjamin Constant, al lado del Jardín Botánico de la ciudad. El tópico del ahogado inevitablemente hace pensar en el conocido poema «Le bateau ivre» de Arthur Rimbaud. La idea de un escape por vía marítima a un paraíso distante recuerda el poema «Brise marine» de Stéphane Mallarmé, en el que también se halla un descaecimiento emocional que resulta de un desengaño doloroso. Aún más presentes están los ecos directos de la primera sección del poema «The Hollow Men» [«Los hombres huecos»] del poeta anglosajón T. S. Eliot, que seguramente habría llegado a Cernuda a través de la versión francesa publicada en la revista *Commerce*, número 3 (1924). El poema de Eliot evoca la misma visión de una devastación y esterilidad externas e internas que se expresa en el poema de Cernuda, y, además, hay correspondencias textuales ineludibles, como estos versos reflejados en las dos primeras estrofas de Cernuda, que traduzco literalmente de la versión

Un vidrio denso tiembla delante de las cosas,
Un vidrio que despierta formas color de olvido; 10
Olvidos de tristeza, de un amor, de la vida,
Ahogados como un cuerpo sin luz, sin aire, muerto.

Delicados, con prisa, se insinúan apenas
Vagos revuelos grises, encendiendo en el agua
Reflejos de metal o aceros relucientes, 15
Y su rumbo acuchilla las simétricas olas.

Flores de luz tranquila despiertan a lo lejos,
Flores de luz quizá, o miradas tan bellas
Como pudo el ahogado soñarlas una noche,
Sin amor ni dolor, en su tumba infinita. 20

A su fulgor el agua seducida se aquieta,
Azulada sonrisa asomando en sus ondas.
Sonrisas, oh miradas alegres de los labios;
Miradas, oh sonrisas de la luz triunfante.

Desdobla sus espejos la prisión delicada; 25
Claridad sinuosa, errantes perspectivas.
Perspectivas que rompe con su dolor ya muerto
Ese pálido rostro que solemne aparece.

---

francesa: «Sombras sin forma, matices sin color, / fuerza sin movimiento y gesto que no se mueve...» Los ecos textuales más claros vienen de un poema surrealista de Paul Éluard, la poesía «Armure de proie le parfum noir rayonne», que es la cuarta de la sección «Comme une image» de *L'Amour, la poésie*. El texto de Éluard presenta una tierra baldía extraña, un mundo muerto y sin color, habitado por personas como zombíes. También se da el tópico del escape en un barco de vela hacia un mundo inocente e ideal. Las coincidencias textuales son a veces al pie de la letra. Traduzco literalmente del francés: «los movimientos maquinales de la insomnia», «su emoción está en pedazos», «en plena mar... a toda vela»; compárense los versos 29, 32 y 33 de Cernuda. Véase el comentario de D. Harris, «Cernuda's "Ready-Mades": Surrealism, Plagiarism, Romanticism», en S. Jiménez-Fajardo (ed.), *The Word and the Mirror. Critical Essays on the Poetry of Luis Cernuda*, Associated University Presses, 1989, págs. 58-79.

Su insomnio maquinal el ahogado pasea.
El silencio impasible sonríe en sus oídos. 30
Inestable vacío sin alba ni crepúsculo,
Monótona tristeza, emoción en ruinas.

En plena mar al fin, sin rumbo, a toda vela;
Hacia lo lejos, más, hacia la flor sin nombre.
Atravesar ligero como pájaro herido 35
Ese cristal confuso, esas luces extrañas.

Pálido entre las ondas cada vez más opacas
El ahogado ligero se pierde ciegamente
En el fondo nocturno como un astro apagado.
Hacia lo lejos, sí, hacia el aire sin nombre. 40

DESTIERRO*

Ante las puertas bien cerradas,
Sobre un río de olvido, va la canción antigua.
Una luz lejos piensa
Como a través de un cielo.
Todos acaso duermen, 5
Mientras él lleva su destino a solas.

Fatiga de estar vivo, de estar muerto,
Con frío en vez de sangre,
Con frío que sonríe insinuando
Por las aceras apagadas. 10

Le abandona la noche y la aurora lo encuentra,
Tras sus huellas la sombra tenazmente.

* Fecha: Toulouse, 2 de mayo de 1929.

La imagen de una existencia solitaria en un ambiente urbano hostil trae ecos de la poesía de Pierre Reverdy, cuya influencia ya se había manifestado en el primer libro de Cernuda, *Perfil del aire*. Véanse en particular los poemas «Belle étoile» y «Droit vers la mort», incluidos en *Les Épaves du Ciel*, París, 1924; recogidos en *Plupart du temps I* (1915-1922), París, Gallimard, 1969, págs. 41 y 77.

NEVADA*

En el Estado de Nevada
Los caminos de hierro tienen nombres de pájaro,
Son de nieve los campos
Y de nieve las horas.

Las noches transparentes 5
Abren luces soñadas
Sobre las aguas o tejados puros
Constelados de fiesta.

Las lágrimas sonríen,
La tristeza es de alas, 10
Y las alas, sabemos,
Dan amor inconstante.

Los árboles abrazan árboles,
Una canción besa otra canción;
Por los caminos de hierro 15
Pasa el dolor y la alegría.

Siempre hay nieve dormida
Sobre otra nieve, allá en Nevada.

---

* Fecha: 8 de mayo de 1929. Publicación: Gerardo Diego, *Poesía española: antología 1915-1931*, Madrid, 1932, pág. 433.

Este otro paraíso terrenal ya lleva el nombre específico de uno de los estados de Estados Unidos. Es posible que el título proceda de la película *Nevada* (1927), con Gary Cooper como protagonista [C. B. Morris, *La acogedora oscuridad: El cine y los ecritores españoles (1920-1936)*, Córdoba, Filmoteca de Andalucía, 1993, pág. xxx]. Los versos 13-14 recuerdan la rima IX de Bécquer.

COMO EL VIENTO*

Como el viento a lo largo de la noche,
Amor en pena o cuerpo solitario,
Toca en vano a los vidrios,
Sollozando abandona las esquinas;

O como a veces marcha en la tormenta, 5
Gritando locamente,
Con angustia de insomnio,
Mientras gira la lluvia delicada;

Sí, como el viento al que un alba le revela
Su tristeza errabunda por la tierra, 10
Su tristeza sin llanto,
Su fuga sin objeto;

Como él mismo extranjero,
Como el viento huyo lejos.
Y sin embargo vine como luz. 15

---

* Fecha: Toulouse, 10 de mayo de 1929. Publicación: Gerardo Diego, *Poesía española: antología 1915-1931,* Madrid, 1932, pág. 434.

Compárense estas palabras de la narración de Cernuda «En la costa de Santiniebla», escrita en 1937: «... la voz del viento en los cristales de la ventana sonaba llena de afanes, de deseos, de remordimientos tan humanos, con esas mismas voces que otros vientos ululantes levantan en el fondo de nuestra alma, que sólo así, como una voz gemela de la mía podía escucharla...» *(Obra Completa, Prosa II,* Madrid, Siruela, pág. 401).

En este poema, el símil con el viento queda a un nivel completamente convencional de índole romántica sin que se desarrollen las posibilidades de activación o antropomorficación surrealistas.

DECIDME ANOCHE*

La presencia del frío junto al miedo invisible
Hiela a gotas oscuras la sangre entre la niebla
Entre la niebla viva, hacia la niebla vaga
Por un espacio ciego de rígidas espinas.

Con vida misteriosa quizá los hombres duermen 5
Mientras desiertos blancos representan el mundo;
Son espacios pequeños como tímida mano,
Silenciosos, vacíos bajo una luz sin vida.

Sí, la tierra está sola, bien sola con sus muertos
Al acecho quizá de inerte transeúnte 10
Que sin gestos arrostre su látigo nocturno;
Mas ningún cuerpo viene ciegamente soñando.

El dolor también busca, errante entre la noche,
Tras la sombra fugaz de algún gozo indefenso;
Y sus pálidos pasos callados se entrelazan, 15
Incesante fantasma con mirada de hastío.

Fantasma que desfila prisionero de nadie,
Falto de voz, de manos, apariencia sin vida,
Como llanto impotente por las ramas ahogado
O repentina fuga estrellada en un muro. 20

---

* Fecha: Toulouse, 19 de mayo de 1929.

La antropomorficación en este poema se hace más surrealista al romper las limitaciones lógicas de la analogía, como en la secuencia de versos 13-20 donde el dolor se encarna en una figura noctámbula fantasmal que parece haber salido de una película de miedo de la época. El título del poema revela una desconexión semántica con el texto muy característica del surrealismo. La referencia a «amor menospreciado» en el verso 36 podrá indicar el estímulo emocional que provoca este ambiente de pesadilla habitado por monstruosas deformaciones emocionales.

Sí, la tierra está sola; a solas canta, habla,
con una voz tan débil que no la alcanza el cielo;
canta risas o plumas atravesando espacio
bajo un sol calcinante reflejado en la arena.

Es íntima esa voz, sólo para ella misma; 25
Al exterior la sombra presta asilo inseguro.
Un grito acaso pasa disfrazado con luces,
Luchando vanamente contra el miedo y el frío.

¿Dónde palpita el hielo? Dentro, aquí, entre la vida,
En un centro perdido de apagados recuerdos, 30
De huesos ateridos en donde silba el aire,
Con un rumor de hojas que se van una a una.

Sus plumas moribundas van extendiendo la niebla
Para dormir en tierra un ensueño harapiento,
Ensueño de amenazas erizado de nieve, 35
Olvidado en el suelo, amor menospreciado.

Se detiene la sangre por los miembros de piedra
Como al coral sombrío fija el mar enemigo,
Como coral helado en el cuerpo deshecho,
En la noche sin luz, en el cielo sin nadie. 40

OSCURIDAD COMPLETA*

No sé por qué, si la luz entra,
Los hombres andan bien dormidos,
Recogiendo la vida su apariencia
Joven de nuevo, bella entre sonrisas.

No sé por qué he de cantar 5
O verter de mis labios vagamente palabras,
Palabras de mis ojos,
Palabras de mis sueños perdidos en la nieve.

De mis sueños copiando los colores de nubes,
De mis sueños copiando nubes sobre la pampa. 10

---

* Fecha: Madrid, 2 de julio de 1929.

El verso final ofrece otro eco de la frase de *Les Champs magnétiques* notada con respecto a los poemas «Remordimiento en traje de noche» y «Quisiera estar solo en el sur». Este texto se acerca a la manera del poema-canción y quizá por esta razón se mantiene dentro de una expresión muy convencional sin casi nada que declare la influencia del surrealismo. La languidez emocional que se capta tan hábilmente en este poema es uno de los estados anímicos más característicos tanto de *Un Río, un Amor* como de *Los Placeres Prohibidos*.

HABITACIÓN DE AL LADO*

A través de una noche en pleno día
Vagamente he conocido a la muerte.
No la acompaña ningún lebrel;
Vive entre los estanques disecados,
Fantasmas grises de piedra nebulosa. 5

¿Por qué soñando, al deslizarse con miedo,
Ese miedo imprevisto estremece al durmiente?
Mirad vencido olvido y miedo a tantas sombras blancas
Por las pálidas dunas de la vida,
No redonda ni azul, sino lunática, 10
Con sus blancas lagunas, con sus bosques
En donde el cazador si quiere da caza al terciopelo.

Pero ningún lebrel acompaña a la muerte.
Ella con mucho amor sólo ama los pájaros,
Pájaros siempre mudos, como lo es el secreto, 15
Con sus grandes colores formando un torbellino
En torno a la mirada fijamente metálica.

Y los durmientes desfilan como nubes
Por un cielo engañoso donde chocan las manos,
Las manos aburridas que cazan terciopelos o nubes
descuidadas. 20

Sin vida está viviendo solo profundamente.

---

* Fecha: Madrid, 5 de julio de 1929.

Otro texto que presenta un mundo de pesadilla habitado por fantasmas y zombíes. Se notan algunos casos de posible generación fonética de vocabulario: «terciopelo» (v. 12) es asonante con «miedo» (v. 6), y «mirada» se asocia con «metálica» por aliteración y homofonía en el verso 13. El verso final separado declara muy abiertamente el estado anímico que provoca los poemas de *Un Río, un Amor*.

ESTOY CANSADO*

Estar cansado tiene plumas,
Tiene plumas graciosas como un loro,
Plumas que desde luego nunca vuelan,
Mas balbucean igual que loro.

Estoy cansado de las casas, 5
Prontamente en ruinas sin un gesto;
Estoy cansado de las cosas,
Con un latir de seda vueltas luego de espaldas.

Estoy cansado de estar vivo,
Aunque más cansado sería el estar muerto; 10
Estoy cansado del estar cansado
Entre plumas ligeras sagazmente,
Plumas del loro aquel tan familiar o triste,
El loro aquel del siempre estar cansado.

---

* Fecha: Madrid, 6 de julio de 1929. Publicación: Gerardo Diego, *Poesía española: antología 1915-1931*, Madrid, 1932, págs. 434-435.

Véase el comentario de este poema en Ferraté (1968). El poema de José Bergamín «Me siento ya tan cansado», incluido en *La claridad desierta*, termina con el verso «cansado de estar cansado». La combinación de anáfora y anadiplosis crea el característico ambiente de languidez. La segunda estrofa es un ejemplo de la animación y antropomorficación tan frecuente en este libro, pero a un nivel donde típicamente falta la vitalidad que la animación podría haber conllevado. El loro es un equivalente correlativo del cansancio; los loros, sobre todo los loros en las jaulas de una pajarera, como la que hubo en los años 20 en el Jardín Botánico de Toulouse al lado de la casa donde vivió Cernuda, suelen moverse con una lentitud exagerada.

EL CASO DEL PÁJARO ASESINADO*

Nunca sabremos, nunca,
Por qué razón un día
Esas luces temblaron levemente;
Fue una llorosa espuma,
Una brisa más grande, 5
Sólo las olas saben.

Por eso hoy muestran desdeñosas
Su color de miradas,
Su color ignorante todavía, aunque un recuerdo
Les cante algo, algo levemente. 10

Fue un pájaro quizá asesinado;
Nadie sabe. Por nadie
O por alguien quizá triste en las piedras,
En los muros del cielo.

Mas de ello hoy nada se sabe. 15
Sólo un temblor de luces levemente,
Un color de miradas en las olas o en la brisa;
También, acaso, un miedo.
Todo, es verdad, inseguro.

---

* Fecha: Madrid, 7 de julio de 1929.
Otra evocación del entumecimiento emocional provocado por el fracaso erótico, en esta ocasión establecida a base de una alusión a un contexto de novela o película policíacas. El verso 8 es un ejemplo del uso de la fórmula imaginística surrealista «color de...».

DURANGO*

Las palabras quisieran expresar los guerreros,
Bellos guerreros impasibles,
Con el mañana gris abrazado, como un amante,
Sin dejarles partir hacia las olas.

Por la ventana abierta 5
Muestra el destino su silencio;
Sólo nubes con nubes, siempre nubes
Más allá de otras nubes semejantes,
Sin palabras, sin voces,
Sin decir, sin saber; 10
Últimas soledades que no aguardan mañana.

Durango está vacío
Al pie de tanto miedo infranqueable;
Llora consigo a solas la juventud sangrienta
De los guerreros bellos como luz, como espuma. 15

Por sorpresa los muros
Alguna mano dejan revolando a veces;
Sus dedos entreabiertos
Dicen adiós a nadie,
Saben algo quizá ignorado en Durango. 20

En Durango postrado,
Con hambre, miedo, frío,
Pues sus bellos guerreros sólo dieron,
Raza estéril en flor, tristeza, lágrimas.

---

* Fecha: Madrid, 9 de julio de 1929.
En adición al pueblo vascuence, el topónomo se halla en México y en el estado de Colorado en Estados Unidos. El lugar de Durango, presuntamente sacado del cine de la época y probablemente de alguna película del viejo oeste, representa un ejemplo de los paraísos terrenales distantes que no ha podido defenderse de las fuerzas maléficas y destructivas que dominan en el medio ambiente urbano más inmediato de *Un Río, un Amor*.

DAYTONA*

Hubo un día en que el día no engañaba,
En que sus manos tristes no sostenían un cuervo
Indiferente como los labios de la lluvia,
Como el rojizo hastío.

Mas hoy es imposible 5
Buscar la luz entre barcas nocturnas;
Alguien cortó la piedra en flor,
Sin que pudiera el mundo
Incendiar la tristeza.

Sólo un lugar existe, cuyos días 10
Nada saben de aquello,
Aunque todo allí sea mortal, el miedo, hasta las plumas;

---

* Fecha: Madrid, 11 de julio de 1929.

Daytona es un lugar de veraneo en la costa del estado de Florida en Estados Unidos, muy conocido en los años 20 por las carreras de coches que se celebraron allí. El hecho de que esta evocación de un paraíso terrenal norteamericano todavía libre de la contaminación del desengaño se halle yuxtapuesta al poema anterior, «Durango», escrito dos días antes, en el que el paraíso se ha destruido, demuestra que *Un Río, un Amor* se compone de poemas que corresponden a estados anímicos muy distintos pero coexistentes.

El desplazamiento de expectativas provocado por la yuxtaposición semántica ilogicista y la animación antropomórfica da una fuerte presencia surrealista a este poema. Después del primer verso que remeda el tono de un cuento infantil a la vez que levemente personifica el día, la estrofa inicial pasa a la antropomorficación completa al adquirir el día sustancia corpórea y emocional con las manos tristes. El cuervo que sostienen las manos se metamorfosea del arquetípico pájaro de mal agüero hasta algo con atributos humanos que viene a representar los efectos del desengaño y la indiferencia. Lluvia y labios se combinan para evocar la tristeza de una voz reprimida y el hastío se colorea como si fuera un objeto con el tono rojizo que sugiere la irritabilidad y el fastidio. En la estrofa penúltima, una abstracción, el tiempo, se sujeta a una de las metamorfosis más sorprendentes del libro, animalizado con un collar de frío y capaz de dormir en un árbol como si fuera un pájaro privado de la facultad de cantar.

Mas las olas abrazan
A tanta luz aún viva.

A tanta luz desbordando en la arena, 15
Desbordando en las nubes, desbordando en el tiempo,
Que dormita sin voz entre las ramas,
Olvidado fantasma con su collar de frío.

Mirad cómo sonríe hacia el amor Daytona.

DESDICHA*

Un día comprendió cómo sus brazos eran
Solamente de nubes;
Imposible con nubes estrechar hasta el fondo
Un cuerpo, una fortuna.

La fortuna es redonda y cuenta lentamente 5
Estrellas del estío.
Hacen falta unos brazos seguros como el viento,
Y como el mar un beso.

Pero él con sus labios,
Con sus labios no sabe sino decir palabras; 10
Palabras hacia el techo,
Palabras hacia el suelo,
Y sus brazos son nubes que transforman la vida
En aire navegable.

* Fecha: Madrid, 19 de julio de 1929.

Otro relato del desengaño que evoca el lánguido fracaso del sueño erótico a base de la repetición y paralelismo de unas pocas y sencillas imágenes pertenecientes al mundo natural. Se da así al poema la apariencia de autodesarrollarse con una lentitud insegura que asemeja el estado anímico vulnerado. La «fortuna redonda» del verso 5 es una alusión a la diosa Fortuna, que en la Antigüedad clásica se representaba con una rueda para simbolizar los cambios de azar. Fortuna era también diosa del mar, lo que quizá explica la última imagen del poema, igual que las referencias al viento y al mar en los versos 7 y 8.

NO INTENTEMOS EL AMOR NUNCA*

Aquella noche el mar no tuvo sueño.
Cansado de contar, siempre contar a tantas olas,
Quiso vivir hacia lo lejos,
Donde supiera alguien de su color amargo.

Con una voz insomne decía cosas vagas, 5
Barcos entrelazados dulcemente
En un fondo de noche,
O cuerpos siempre pálidos, con su traje de olvido
Viajando hacia nada.

Cantaba tempestades, estruendos desbocados 10
Bajo cielos con sombra,
Como la sombra misma,
Como la sombra siempre
Rencorosa de pájaros estrellas.

Su voz atravesando luces, lluvia, frío, 15
Alcanzaba ciudades elevadas a nubes,
Cielo Sereno, Colorado, Glaciar del Infierno,

---

* Fecha: Madrid, 19 de julio de 1929. Publicación: Gerardo Diego, *Poesía española: antología 1915-1931*, Madrid, 1932, págs. 435-436.

Este poema se basa muy de cerca en una poesía en gallego de Vicente Risco, «O poema do mar», que apareció en la revista *Alfar*, núm. 26 (febrero de 1923), pág. 11; véase D. Harris, «Cernuda's "Ready-Mades": Surrealism, Plagiarism, Romanticism», en S. Jiménez-Fajardo (ed.), *The Word and the Mirror. Critical Essays on the Poetry of Luis Cernuda*, Associated University Presses, 1989, págs. 58-79. El marco de referencia de una narración infantil, junto con la antropomorficación alegórica, revela claramente la trayectoria anímica que da trasfondo a *Un Río, un Amor*. A partir de una circunstancia original de soledad, el protagonista marítimo sale en busca de una identidad auténtica. Pasando por una tormenta emocional, llega a lugares paradisíacos con nombres exóticos, pero tampoco allí podía realizarse el sueño erótico, y el protagonista se abandona a un pesimismo total.

Todas puras de nieve o de astros caídos
En sus manos de tierra.

Mas el mar se cansaba de esperar las ciudades. 20
Allí su amor tan sólo era un pretexto vago
Con sonrisa de antaño,
Ignorado de todos.

Y con sueño de nuevo se volvió lentamente
Adonde nadie 25
Sabe nada de nadie.
Adonde acaba el mundo.

LINTERNA ROJA*

Albergue oscuro con mendigos de noche
Abrazando jirones de frío,
Mientras que los grupos inertes, iguales a una flor de
 lluvia,
Contemplan cómo pasa una sonrisa.

Poseen estos cuerpos miserables 5
Formas de ojos sin luz o de arena caída;
Vivir, allí canta una voz, si las manos no fallan,
Es alegre como un amor aprisionado.

Esos mendigos son los reyes sin corona
Que buscaron la dicha más allá de la vida, 10
Que buscaron la flor jamás abierta,
Que buscaron deseos terminados en nubes.

Los cuerpos palidecen como olas,
La luz es un pretexto de la sombra,
La risa va muriendo lentamente, 15
Y mi vida también se va con ella.

Mas las sombras no son mendigos o coronas,
Son los años de hastío esta noche con vida;
Y mi vida es ahora un hombre melancólico
Sin saber otra cosa que su llanto. 20

---

* Fecha: Madrid, 27 de julio de 1929. Publicación: *Héroe*, núm. 6 (1932), s.p. La dimensión alegórica de este poema se declara abiertamente en la estrofa final. Curiosamente, se encuentran ecos aquí de *Hamlet* de Shakespeare. El protagonista de la obra es un conocido «hombre melancólico», y el verso 17 reestructura los elementos de una declaración del Príncipe de Dinamarca: «luego son nuestros mendigos cuerpos, y nuestros monarcas y héroes ambiciosos las sombras de los mendigos» (acto II, escena 2). Compárese la exclamación «¡Ah, Hamlet, príncipe mío!» al final del quinto párrafo del ensayo «Jacques Vaché», incluido en los apéndices a esta edición.

MARES ESCARLATA*

Un gemido molusco
Parece nada de importancia;
Mas de noche un gemido son las olas
De mármol encendido,
Corolas fatigadas 5
O lascivas columnas.

Un gemido no es nada; son los mares
Coronados de otoño
Ante la puerta seca, como cauce
Olvidado de todos, 10
Su dolor contra un muro.

Un grito acaso pueda ofrecer más encantos,
Con el manto escarlata,
Con el pecho escarlata.

Son los mares, los mares desbordados 15
Que atraviesan ciudades humeantes.

* Fecha: Madrid, 31 de julio de 1929.
Este poema revela características surrealistas marcadas. La sintaxis del discurso logicista aparentemente tan lacónico se hace un vehículo para una serie de enumeraciones ilógicas compuestas de yuxtaposiciones léxicas que combinan elementos semánticamente incongruentes. En el título del poema es posible que haya una referencia a la imagen del mar de sangre del Apocalipsis. Cabe pensar que las ciudades invadidas por los mares al final del poema son lugares tales como las ciudades paradisíacas de «No intentemos el amor nunca».

RAZÓN DE LAS LÁGRIMAS*

La noche por ser triste carece de fronteras.
Su sombra, en rebelión como la espuma,
Rompe los muros débiles
Avergonzados de blancura;
Noche que no puede ser otra cosa sino noche. 5

Acaso los amantes acuchillan estrellas,
Acaso la aventura apague una tristeza.
Mas tú, noche, impulsada por deseos
Hasta la palidez del agua,
Aguardas siempre en pie quién sabe a cuáles ruiseñores. 10

Más allá se estremecen los abismos
Poblados de serpientes entre pluma,
Cabecera de enfermos
No mirando otra cosa que la noche
Mientras cierran el aire entre los labios. 15

La noche, la noche deslumbrante,
Que junto a las esquinas retuerce sus caderas,
Aguardando, quién sabe,
Como yo, como todos.

---

* Fecha: Madrid, 6 de agosto de 1929.
Se da aquí otro ejemplo de la alegoría antropomórfica surrealista en la figura de la noche de pie en la esquina de una calle como una prostituta.

TODO ESTO POR AMOR*

Derriban gigantes de los bosques para hacer un
    durmiente,
Derriban los instintos como flores,
Deseos como estrellas,
Para hacer sólo un hombre con su estigma de hombre.

Que derriben también imperios de una noche, 5
Monarquías de un beso,
No significa nada;
Que derriben los ojos, que derriben las manos como
    estatuas vacías,
Acaso dice menos.

Mas este amor cerrado por ver sólo su forma, 10
Su forma entre las brumas escarlata,
Quiere imponer la vida, como otoño asciendo tantas
    hojas
Hacia el último cielo,
Donde estrellas
Sus labios dan a otras estrellas, 15
Donde mis ojos, estos ojos,
Se despiertan en otros.

---

* Fecha: Madrid, 6 de agosto de 1929. Publicación: *La invitación a la poesía*, Madrid, 1933.

Este poema demuestra que a pesar de la destrucción de la ilusión erótica, el sueño del amor sigue vivo y a la espera de una futura realización, actitud que se encuentra de una manera más desarrollada en *Los Placeres Prohibidos*.

NO SÉ QUÉ NOMBRE DARLE EN MIS SUEÑOS*

Ante mi forma encontré aquella forma
En tiempo de crepúsculo,
Cuando las desapariciones
Confunden los colores a los ojos,
Cuando el último amor 5
Busca el cuerpo postrero.

Una angustia sin fondo aullaba entre las piedras;
Hacia el aire, hombres sordos,
La cabeza olvidada,
Pasaban a lo lejos como, libres o muertos; 10
Vergonzoso cortejo de fantasmas
Con las cadenas rotas colgando de las manos.

La vida puso entonces una lámpara
Sobre muros sangrientos;
El día ya cansado secaba tristemente 15
Las futuras auroras, remendadas
Como harapos de rey.

La lámpara eras tú,
Mis labios, mi sonrisa,
forma que hallan mis manos en todo lo que alcanzan. 20

Si mis ojos se cierran es para hallarte en sueños,
Detrás de la cabeza,
Detrás del mundo esclavizado,
En ese país perdido
Que un día abandonamos sin saberlo. 25

---

* Fecha: Madrid, 8 de agosto de 1929.

Se presenta aquí otra declaración de esperanza en la futura realización del sueño erótico, pero escrito desde la perspectiva del profundo desengaño presente. En el verso 17 los «harapos de rey» indican una posible referencia despectiva al rey Alfonso XIII en la época de la dictadura de Primo de Rivera.

DUERME, MUCHACHO*

La rabia de la muerte, los cuerpos torturados,
La revolución, abanico en la mano,
Impotencia del poderoso, hambre del sediento,
Duda con manos de duda y pies de duda;

La tristeza, agitando sus collares 5
Para alegrar un poco tantos viejos;
Todo unido entre tumbas como estrellas,
Entre lujurias como lunas;

La muerte, la pasión en los cabellos,
Dormitan tan minúsculas como un árbol, 10
Dormitan tan pequeñas o tan grandes
Como un árbol crecido hasta llegar al suelo.

Hoy sin embargo está también cansado.

---

* Fecha: Madrid, 9 de agosto de 1929. Publicación: *Nueva Revista*, núm. 6 (14 de mayo de 1930), pág. 2, con la dedicatoria «A Buddy Van Arlen», una estrella de cine ahora totalmente olvidada. Apareció en la revista junto con el poema «Drama o puerta cerrada», bajo el título común en inglés «A Little River A Little Love».

El desengaño se expresa aquí sardónicamente en el marco de referencia de una nana compuesta con elementos violentos y agresivos, muchos de los cuales son ejemplos de la antropomorficación surrealista. El verso 8 da un posible ejemplo de la generación fonética de vocabulario por aliteración: «lujurias/lunas».

DRAMA O PUERTA CERRADA*

La juventud sin escolta de nubes,
Los muros, voluntad de tempestades,
La lámpara, como abanico fuera o dentro,
Dicen con elocuencia aquello no ignorado,
Aquello que algún día débilmente 5
Ante la muerte misma se abandona.

Hueso aplastado por la piedra de sueños,
¿Qué hacer, desprovistos de salida,
Si no es sobre puente tendido por el rayo
Para unir dos mentiras, 10
Mentira de vivir o mentira de carne?

Sólo sabemos esculpir biografías
En músicas hostiles;
Sólo sabemos contar afirmaciones
O negaciones, cabellera de noche; 15
Sólo sabemos invocar como niños al frío
Por miedo de irnos solos a la sombra del tiempo.

---

* Fecha: Madrid, 16 de agosto de 1929. Publicación: véase la nota al poema «Duerme, muchacho».

DEJADME SOLO*

Una verdad es color de ceniza,
Otra verdad es color de planeta;
Mas todas las verdades, desde el suelo hasta el suelo,
No valen la verdad sin color de verdades,
La verdad ignorante de cómo el hombre suele encarnarse
en la nieve. 5

En cuanto a la mentira, basta decirle «quiero»
Para que brote entre las piedras
Su flor, que en vez de hojas luce besos,
Espinas en lugar de espinas.

La verdad, la mentira, 10
Como labios azules,
Una dice, otra dice;
Pero nunca pronuncian verdades o mentiras su secreto
torcido;
Verdades o mentiras
Son pájaros que emigran cuando los ojos mueren. 15

---

* Fecha: Madrid, 16 de agosto de 1929. Publicación: *La invitación a la poesía*, Madrid, 1933.

El sintagma «color de» seguido de algún que otro elemento cromático incongruo es una imagen característica de varios poetas franceses surrealistas. Este poema demuestra cómo los textos de *Un Río, un Amor* son capaces de crear su propia lógica imaginística. Véase el comentario de Ferraté (1968). El verso 12 presenta un eco de una conocida canción, «Este dice que sí, ésta dice que no», de la famosa zarzuela *La verbena de la paloma*. El mismo eco se oye en el poema «Vieja ribera» de *Un Río, un Amor*.

CARNE DE MAR*

Dentro de breves días será otoño en Virginia,
Cuando los cazadores, la mirada de lluvia,
Vuelven a su tierra nativa, el árbol que no olvida,
Corderos de apariencia terrible,
Dentro de breves días será otoño en Virginia. 5

Sí, los cuerpos estrechamente enlazados,
Los labios en la llave más íntima,
¿Qué dirá él, hecho piel de naufragio
O dolor con la puerta cerrada,
Dolor frente a dolor, 10
Sin esperar amor tampoco?

El amor viene y va, mira;
El amor viene y va,
Sin dar limosna a nubes mutiladas,
Por vestidos harapos de tierra, 15
Y él no sabe, nunca sabrá más nada.

Ahora inútil pasar la mano sobre otoño.

---

* Fecha: Madrid, 18 de agosto de 1929. Publicación: *La invitación a la poesía*, Madrid, 1933.

Aquí otro paraíso terrenal norteamericano, el estado de Virginia, cae presa del desengaño, por lo menos al nivel personal del poeta, que se ve excluido por su propia desilusión. El primer verso, aunque no se puede comprobar, suena como el *collage* de una frase sacada de la música popular o de los letreros del cine mudo. El título del poema ostenta una marcada desconexión con el texto; compárese la diferenciación entre título y sujeto pictórico de muchos cuadros surrealistas.

VIEJA RIBERA*

Tanto ha llovido desde entonces,
Entonces, cuando los dientes no eran carne, sino días
Pequeños como un río ignorante
A sus padres llamando porque siente sueño
Tanto ha llovido desde entonces, 5
Que ya el paso se olvida en la cabeza.

Unos dicen que sí, otros dicen que no;
Mas sí y no son dos alas pequeñas,
Equilibrio de un cielo dentro de otro cielo,
Como un amor está dentro de otro, 10
Como el olvido está dentro del olvido.

Si el suplicio con ira pide fiestas
Entre las noches más viriles,
No haremos otra cosa que apuñalar la vida
Sonreír ciegamente a la derrota, 15
Mientras los años, muertos como un muerto,
Abren su tumba de estrellas apagadas.

---

* Fecha: Madrid, 22 de agosto de 1929.

El verso 7 hace eco de una canción, «Unos dicen que sí, otros dicen que no», de la muy conocida zarzuela *La verbena de la paloma* (R. Martínez Nadal, *Luis Cernuda. El hombre y sus temas,* Madrid, Hiperión, 1983, pág. 288); véase también la nota al poema «Dejadme solo».

Este poema da otro ejemplo de la creación de una propia lógica imaginística en el texto. Se posibilita así la expresión del desengaño con una calma falsa por medio de un tono cotidiano y aparentemente sin trascendencia, por lo menos hasta la estrofa final.

LA CANCIÓN DEL OESTE*

Jinete sin cabeza,
Jinete como un niño buscando entre rastrojos
Llaves recién cortadas,
Víboras seductoras, desastres suntuosos,
Navíos para tierra lentamente de carne, 5
De carne hasta morir igual que muere un hombre.

A lo lejos
Una hoguera transforma en ceniza recuerdos,
Noches como una sola estrella,
Sangre extraviada por las venas un día, 10
Furia color de amor,
Amor color de olvido,
Aptos ya solamente para triste buhardilla.

Lejos canta el oeste,
Aquel oeste que las manos antaño 15
Creyeron apresar como el aire a la luna;
Mas la luna es madera, las manos se liquidan
Gota a gota, idénticas a lágrimas.

Olvidemos pues todo, incluso al mismo oeste;
Olvidemos que un día las miradas de ahora 20

---

* Fecha: Madrid, 28 de agosto de 1929.

El comienzo del poema presenta un posible eco de la lectura por parte de Cernuda cuando era joven de la obra de Captain Mayne Reid (L. F. Vivanco, «Luis Cernuda y su demonio», en G. Díaz-Plaja (ed.), *Historia general de las literaturas hispánicas,* Barcelona, Vergara, 1967, pág. 569). Los cuentos de aventuras con un trasfondo norteamericano que Reid escribió para jóvenes en la segunda mitad del siglo pasado lograron una gran popularidad y difusión.

El título apunta hacia otro paraíso terrenal, la tierra del sol poniente o posiblemente el viejo oeste norteamericano, pero el refugio será imposible entre los elementos de pesadilla acumulados en el poema. Se nota otro uso de la fórmula surrealista «color de...» en los versos 11 y 12.

Lucirán a la noche, como tantos amantes,
Sobre el lejano oeste,
Sobre amor más lejano.

¿SON TODOS FELICES?*

El honor de vivir con honor gloriosamente,
El patriotismo hacia la patria sin nombre,
El sacrificio, el deber de labios amarillos,
No valen un hierro devorando
Poco a poco algún cuerpo triste a causa de ellos mismos. 5

Abajo pues la virtud, el orden, la miseria;
Abajo todo, todo, excepto la derrota,
Derrota hasta los dientes, hasta ese espacio helado
De una cabeza abierta en dos a través de soledades,
Sabiendo nada más que vivir es estar a solas con la
muerte. 10

Ni siquiera esperar ese pájaro con brazos de mujer,
Con voz de hombre oscurecida deliciosamente,
Porque un pájaro, aunque sea enamorado,
No merece aguardarle, como cualquier monarca
Aguarda que las torres maduren hasta frutos podridos. 15

Gritemos sólo,
Gritemos a un ala enteramente,
Para hundir tantos cielos,
Tocando entonces soledades con mano disecada.

---

* Fecha: Madrid, 28 de agosto de 1929. Publicación: *Poesía,* IV:4 (1931), s.p., junto con «Nocturno entre las musarañas», bajo el título común «Un río un amor».

El título es obviamente irónico frente a la agresiva degradación de los valores cívicos de honor, patriotismo y sacrificio, palabras que en 1929 suenan con la oquedad de la retórica de la dictadura militar de Primo de Rivera. El nihilismo desarrollado en este poema da testimonio de la voz de rebeldía que Cernuda encontraba en el surrealismo. La penúltima estrofa contiene la primera expresión inequívoca del homoerotismo en estos poemas.

NOCTURNO ENTRE LAS MUSARAÑAS*

Cuerpo de piedra, cuerpo triste
Entre lanas con muros de universo,
Idéntico a las razas cuando cumplen años,
A los más inocentes edificios,
A las más pudorosas cataratas, 5
Blancas como la noche, en tanto la montaña
Despedaza formas enloquecidas,
Despedaza dolores como dedos,
Alegrías como uñas.

No saber dónde ir, dónde volver 10
Buscando los vientos piadosos
Que destruyen las arrugas del mundo,
Que bendicen los deseos cortados a raíz
Antes de dar su flor,
Su flor grande como un niño. 15

Los labios quieren esa flor
Cuyo puño, besado por la noche,
Abre las puertas del olvido labio a labio.

---

* Fecha: Madrid, 29 de agosto de 1929. Publicación: véase la nota al poema «¿Son todos felices?».

Es éste otro poema que empieza el procedimiento de reconstrucción del sueño erótico después del fracaso que subyace en *Un Río, un Amor*.

COMO LA PIEL*

Ventana huérfana con cabellos habituales,
Gritos del viento,
Atroz paisaje entre cristal de roca,
Prostituyendo los espejos vivos,
Flores clamando a gritos 5
Su inocencia anterior a obesidades.

Esas cuevas de luces venenosas,
Destrozan los deseos, los durmientes,
Luces como lenguas hendidas
Penetrando en los huesos hasta hallar la carne, 10
Sin saber que en el fondo no hay fondo,
No hay nada, sino un grito,
Un grito, otro deseo
Sobre una trampa de adormideras crueles

En un mundo de alambre 15
Donde el olvido vuela por debajo del suelo,
En un mundo de angustia,
Alcohol amarillento,
Plumas de fiebre,
Ira subiendo a un cielo de vergüenza, 20
Algún día nuevamente resurgirá la flecha
Que abandona el azar
Cuando una estrella muere como otoño para olvidar su
sombra.

---

* Fecha: Madrid, 31 de agosto de 1929.

El verso 4 hace eco de una frase de Paul Éluard, «glaces prostituées» [«vidrios prostituidos»], del poema «À la flamme des fouets», incluido en el libro *Capitale de la Douleur,* París, 1926.

La expresión violenta y el grado extremo de la antropomorficación y activación de elementos normalmente pasivos e inactivos dan a este poema un ineludible aire surrealista que culmina en una declaración de esperanza en el resurgimiento del sueño erótico. Se nota la posible generación léxica por aliteración en los versos 15-18: «alambre - angustia - alcohol amarillento».

*Los Placeres Prohibidos**
[1931]

* Este libro es el producto de un período de producción intensa concentrada en Madrid en los meses de abril, mayo y junio de 1931, es decir, la época de la caída de la monarquía de Alfonso XIII y la declaración de la República. No se publicó como libro hasta incorporarse a la primera edición de *La Realidad y el Deseo* en 1936. Los poemas publicados con anterioridad en revistas aparecieron sin puntuación. Los poemas en prosa no se incluyeron en la versión del libro incorporado en *La Realidad y el Deseo* hasta la tercera edición de 1958 [para un estudio de estos poemas en prosa, véase James Valender, «*Los Placeres Prohibidos:* an analysis of the prose poems», en S. Jiménez-Fajardo (ed.), *The Word and the Mirror: Critical Essays on the Poetry of Luis Cernuda*, Associated University Presses, 1989, págs. 80-96]. En una versión primitiva el libro contenía diez textos más. Estos textos de la versión primitiva, junto con otros textos de la época, se hallan en el apéndice «Otros poemas surrealistas» de esta edición; véase la nota correspondiente a este apéndice para más detalles.

DIRÉ CÓMO NACISTEIS*

Diré cómo nacisteis, placeres prohibidos,
Como nace un deseo sobre torres de espanto,
Amenazadores barrotes, hiel descolorida,
Noche petrificada a fuerza de puños,
Ante todos, incluso el más rebelde, 5
Apto solamente en la vida sin muros.

Corazas infranqueables, lanzas o puñales,
Todo es bueno si deforma un cuerpo;
Tu deseo es beber esas hojas lascivas
O dormir en ese agua acariciadora. 10
No importa;
Ya declaran tu espíritu impuro.

No importa la pureza, los dones que un destino
Levantó hacia las aves con manos imperecederas;
No importa la juventud, sueño más que hombre, 15
La sonrisa tan noble, playa de seda bajo la tempestad
De un régimen caído.

Placeres prohibidos, planetas terrenales,
Miembros de mármol con un sabor de estío,

---

* Fecha: 20 de abril de 1931. Publicación: Gerardo Diego, *Poesía española: antología 1915-1931,* Madrid, 1932, págs. 440-442.

Este primer poema da el tono para todo el libro. Sobre el fondo de los acontecimientos de abril de 1931, la abdicación de Alfonso XIII y la proclamación de la Segunda República, Cernuda lanza un grito de guerra contra una sociedad decaída que reprime y aprisiona un erotismo elemental capaz con su fuerza de dejar caer una venganza aniquilante sobre el mundo degenerado de la clase dirigente. Con esta proclamación del homoerotismo agresivo, Cernuda propone una posible solución al desengaño expresado en *Un Río, un Amor,* al dotar al deseo de una elementalidad suprapersonal que lo libera de la represión y el fracaso provocados por una sociedad hostil. Esta proclama de su homosexualidad es la forma que toma la rebeldía surrealista en *Los Placeres Prohibidos.*

Jugo de esponjas abandonadas por el mar, 20
Flores de hierro, resonantes como el pecho de un
hombre.

Soledades altivas, coronas derribadas,
Libertades memorables, manto de juventudes;
Quien insulta esos frutos, tinieblas en la lengua,
Es vil como un rey, como sombra de rey, 25
Arrastrándose a los pies de la tierra
Para conseguir un trozo de vida.

No sabía los límites impuestos,
Límites de metal o papel,
Ya que el azar le hizo abrir los ojos bajo una luz tan alta, 30
Adonde no llegan realidades vacías,
Leyes hediondas, códigos, ratas de paisajes derruidos.

Extender entonces la mano
Es hallar una montaña que prohíbe,
Un bosque impenetrable que niega, 35
Un mar que traga adolescentes rebeldes.

Pero si la ira, el ultraje el oprobio y la muerte,
Ávidos dientes sin carne todavía,
Amenazan abriendo sus torrentes,
De otro lado vosotros, placeres prohibidos, 40
Bronce de orgullo, blasfemia que nada precipita,
Tendéis en una mano el misterio.
Sabor que ninguna amargura corrompe,
Cielos, cielos relampagueantes que aniquilan.

Abajo, estatuas anónimas, 45
Sombras de sombras, miseria, preceptos de niebla;
Una chispa de aquellos placeres
Brilla en la hora vengativa.
Su fulgor puede destruir vuestro mundo.

TELARAÑAS CUELGAN DE LA RAZÓN*

Telarañas cuelgan de la razón
En un paisaje de ceniza absorta;
Ha pasado el huracán de amor,
Ya ningún pájaro queda.

Tampoco ninguna hoja, 5
Todas van lejos, como gotas de agua
De un mar cuando se seca,
Cuando no hay ya lágrimas bastantes,
Porque alguien, cruel como un día de sol en primavera,
Con su sola presencia ha dividido en dos un cuerpo. 10

Ahora hace falta recoger los trozos de prudencia,
Aunque siempre nos falte alguno;
Recoger la vida vacía
Y caminar esperando que lentamente se llene,
Si es posible, otra vez, como antes, 15
De sueños desconocidos y deseos invisibles.

Tú nada sabes de ello,
Tú estás allá, cruel como el día,
El día, esa luz que abraza estrechamente un triste muro,
Un muro, ¿no comprendes?, 20
Un muro frente al cual estoy solo.

---

* Fecha: abril de 1931.

Maristany, 1982, pág. 63, halla una alusión a «la araña de la razón» de que habla Nietzsche en *Así habló Zaratustra* en la sección «Para la salida del sol». La imagen del muro en la estrofa final recuerda unos versos del poema «Autres jockeys alcooliques» de Pierre Reverdy: «La situation d'un homme devant un mur infini / Sans aucune affiche», *Les Épaves du Ciel*, París, 1924, pág. 144.

En comparación con la reacción angustiada frente al fracaso amoroso en *Un Río, un Amor*, este poema establece el tono elegíaco que acompaña en *Los Placeres Prohibidos* la actitud rebelde expresada en «Diré cómo nacisteis». El primer choque ha pasado y ahora es posible pensar en una recuperación prudente del sueño erótico.

ADÓNDE FUERON DESPEÑADAS*

¿Adónde fueron despeñadas aquellas cataratas,
Tantos besos de amantes, que la pálida historia
Con signos venenosos presenta luego al peregrino
Sobre el desierto, como un guante
Que olvidado pregunta por su mano? 5

Tú lo sabes, Corsario;
Corsario que se goza en tibios arrecifes,
Cuerpos gritando bajo el cuerpo que les visita,
Y sólo piensan en la caricia,
Sólo piensan en el deseo, 10
Como bloque de vida,
Derretido lentamente por el frío de la muerte.

Otros cuerpos, Corsario, nada saben;
Déjalos pues.
Vierte, viértete sobre mis deseos, 15
Ahórcate en mis brazos tan jóvenes,
Que con la vista ahogada,
Con la voz última que aún broten mis labios,
Diré amargamente cómo te amo.

---

* Fecha: 13 de abril de 1931. Publicación: *Hoja Literaria,* febrero de 1933, pág. 5.

La novela *La Liberté ou l'amour* (1927) del surrealista Robert Desnos tiene como protagonista un personaje llamado Corsaire Sanglot, es decir, Corsario Sollozo.

En este poema, el homoerotismo ya se declara sin trabas. Véase el estudio de C. Brian Morris, «The oblique language of Luis Cernuda: creative ruin or fragment shored?», en Derek Harris (ed.), *The Spanish avant-garde,* Manchester University Press, 1995, págs. 190-203.

EN MEDIO DE LA MULTITUD*

En medio de la multitud le vi pasar, con sus ojos tan rubios como la cabellera. Marchaba abriendo el aire y los cuerpos; una mujer se arrodilló a su paso. Yo sentí cómo la sangre desertaba mis venas gota a gota.

Vacío, anduve sin rumbo por la ciudad. Gentes extrañas pasaban a mi lado sin verme. Un cuerpo se derritió con leve susurro al tropezarme. Anduve más y más.

No sentía mis pies. Quise cogerlos en mi mano, no hallé mis manos; quise gritar, y no hallé mi voz. La niebla me envolvía.

Me pesaba la vida como un remordimiento; quise arrojarla de mí. Mas era imposible, porque estaba muerto y andaba entre los muertos.

---

* Fecha: 14 de abril de 1931.

Existe una versión más extensa de este texto con tres párrafos más que luego fueron sustituidos por el párrafo final de la versión definitiva:

> Me encontré en una habitación estrecha. Su techo era bloque negro y sin fondo que pesaba sobre mi cabeza. Un anamita menudo con sonrisa de acero me tendía los labios. Levanté mi brazo para alejarle y mi mano al agrandarse desmesuradamente pudo enterrarle en su palma.
>
> La angustia me invadió. No quería abrir la mano donde, lagarto, le sentía bullir; no quería guardarlo en ella cerrada... La pared se abrió apareciendo una enorme cabeza de serpiente. Conté - conté desesperado sin que acabasen de aparecer nuevos anillos interminables. Vi cómo su cabeza avanzaba hacia mi boca y entraba - entraba allí lentamente.
>
> Un espasmo de placer me plegó sobre el suelo.

La supresión de esta parte final del texto mucho más surrealista que el resto, supresión que se supone fue hecha definitivamente al decidir incorporar los poemas en prosa a *Los Placeres Prohibidos* para la tercera edición de *La Realidad y el Deseo* en 1958, revela que en aquel momento Cernuda se iba distanciando de su manera surrealista en los años 1929-1931 y, como consecuencia, hacía destacar más la dimensión romántica de sus poemas de aquella época.

QUÉ RUIDO TAN TRISTE*

Qué ruido tan triste el que hacen dos cuerpos cuando
se aman,
Parece como el viento que se mece en otoño
Sobre adolescentes mutilados,
Mientras las manos llueven,
Manos ligeras, manos egoístas, manos obscenas 5
Cataratas de manos que fueron un día
Flores en el jardín de un diminuto bolsillo.

Las flores son arena y los niños son hojas,
Y su leve ruido es amable al oído
Cuando ríen, cuando aman cuando besan, 10
Cuando besan el fondo
De un hombre joven y cansado
Porque antaño soñó mucho día y noche.

Mas los niños no saben,
Ni tampoco las manos llueven como dicen; 15
Así el hombre, cansado de estar solo con sus sueños,
Invoca los bolsillos que abandonan arena,
Arena de las flores,
Para que un día decoren su semblante de muerto.

---

* Fecha: 13 de abril de 1931. Publicación: Gerardo Diego, *Poesía española: antología 1915-1931,* Madrid, 1932, págs. 439-440.

Una vez que se haya establecido en la primera estrofa de este poema las imágenes de «manos», «flores» y «bolsillo», éstas luego se entretejen a través de las dos estrofas siguientes con la libertad surrealista de asociarse sin referencia logicista. El texto así produce su propia «lógica».

NO DECÍA PALABRAS*

No decía palabras,
Acercaba tan sólo un cuerpo interrogante,
Porque ignoraba que el deseo es una pregunta
Cuya respuesta no existe,
Una hoja cuya rama no existe, 5
Un mundo cuyo cielo no existe.

La angustia se abre paso entre los huesos,
Remonta por las venas
Hasta abrirse en la piel,
Surtidores de sueño 10
Hechos carne en interrogación vuelta a las nubes.

Un roce al paso,
Una mirada fugaz entre las sombras,
Bastan para que el cuerpo se abra en dos,
Ávido de recibir en sí mismo 15
Otro cuerpo que sueñe;
Mitad y mitad, sueño y sueño, carne y carne,
Iguales en figura, iguales en amor, iguales en deseo.

Aunque sólo sea una esperanza,
Porque el deseo es una pregunta cuya respuesta nadie
sabe. 20

---

* Fecha: 13 de abril de 1931. Publicación: Gerardo Diego, *Poesía española: antología 1915-1931*, Madrid, 1932, págs. 438-439.

Maristany, 1982, pág. 49, halla una alusión en este poema al mito hermafrodita relatado por Aristófanes en *El Banquete* de Platón.

ESTABA TENDIDO*

Estaba tendido y tenía entre mis brazos un cuerpo como seda. Lo besé en los labios, porque el río pasaba por debajo. Entonces se burló de mi amor.

Sus espaldas parecían dos alas plegadas. Lo besé en las espaldas, porque el agua sonaba debajo de nosotros. Entonces lloró al sentir la quemadura de mis labios.

Era un cuerpo tan maravilloso que se desvaneció entre mis brazos. Besé su huella; mis lágrimas la borraron. Como el agua continuaba fluyendo, dejé caer en ella un puñal, un ala y una sombra.

De mi mismo cuerpo recorté otra sombra, que sólo me sigue a la mañana. Del puñal y el ala, nada sé.

---

* Fecha: 15 de abril de 1931.

Este texto da quizá una explicación de lo que significaba para Cernuda el título de *Un Río, un Amor.*

SI EL HOMBRE PUDIERA DECIR*

Si el hombre pudiera decir lo que ama,
Si el hombre pudiera levantar su amor por el cielo
Como una nube en la luz;
Si como muros que se derrumban,
Para saludar la verdad erguida en medio, 5
Pudiera derrumbar su cuerpo, dejando sólo la verdad
de su amor,
La verdad de sí mismo,
Que no se llama gloria, fortuna o ambición,
Sino amor o deseo,
Yo sería aquel que imaginaba; 10
Aquel que con su lengua, sus ojos y sus manos
Proclama ante los hombres la verdad ignorada,
La verdad de su amor verdadero.

Libertad no conozco sino la libertad de estar preso en
alguien
Cuyo nombre no puedo oír sin escalofrío; 15
Alguien por quien me olvido de esta existencia mezquina,
Por quien el día y la noche son para mí lo que quiera,
Y mi cuerpo y espíritu flotan en su cuerpo y espíritu
Como leños perdidos que el mar anega o levanta
Libremente, con la libertad del amor, 20
La única libertad que me exalta,
La única libertad porque muero.

---

* Fecha: 13 de abril de 1931.

El verso 22 parece ser una referencia directa a una conocida frase del *Primer manifiesto surrealista* de André Breton: «La sola palabra de libertad es todo lo que me exalta.» La palabra «liberté» se hace un leitmotiv obsesionante en muchos escritores surrealistas franceses. José Luis Cano, *Poesía española del siglo XX*, Madrid, Guadarrama, 1960, pág. 349, nota un eco de la frase «funda su libertad en estar presa», que se encuentra en el soneto «Esta flecha de amor con que atraviesa» del conde de Villamediana.

Tú justificas mi existencia:
Si no te conozco, no he vivido;
Si muero sin conocerte, no muero, porque no he vivido. 25

UNOS CUERPOS SON COMO FLORES*

Unos cuerpos son como flores,
Otros como puñales,
Otros como cintas de agua;
Pero todos, temprano o tarde,
Serán quemaduras que en otro cuerpo se agranden, 5
Convirtiendo por virtud del fuego a una piedra en un
hombre.

Pero el hombre se agita en todas direcciones,
Sueña con libertades, compite con el viento,
Hasta que un día la quemadura se borra,
Volviendo a ser piedra en el camino de nadie. 10

Yo, que no soy piedra, sino camino
Que cruzan al pasar los pies desnudos,
Muerto de amor por todos ellos;
Les doy mi cuerpo para que lo pisen,
Aunque les lleve a una ambición o a una nube, 15
Sin que ninguno comprenda
Que ambiciones o nubes
No valen un amor que se entrega.

---

* Fecha: 14 de abril de 1931.

La primera estrofa ejemplifica el procedimiento de libre asociación surrealista que permite, en este caso, una progresión de enumeración caótica que abarca «cuerpos - flores - puñales - cintas de agua - quemaduras - piedra - hombre». Una vez establecido este conjunto de imágenes, el resto del poema lo desarrolla según la lógica interna creada por el texto.

ESPERABA SOLO*

Esperaba algo, no sabía qué. Esperaba al anochecer, los sábados. Unos me daban limosna, otros me miraban, otros pasaban de largo sin verme.

Tenía en la mano una flor; no recuerdo qué flor era. Pasó un adolescente que, sin mirar, la rozó con su sombra. Yo tenía la mano tendida.

Al caer, la flor se convirtió en un monte. Detrás se ponía un sol; no recuerdo si era negro.

Mi mano quedó vacía. En su palma apareció una gota de sangre.

---

* Fecha: 17 de abril de 1931.

LOS MARINEROS SON LAS ALAS DEL AMOR*

Los marineros son las alas del amor,
Son los espejos del amor,
El mar les acompaña,
Y sus ojos son rubios lo mismo que el amor
Rubio es también, igual que son sus ojos 5

La alegría vivaz que vierten en las venas
Rubia es también,
Idéntica a la piel que asoman;
No les dejéis marchar porque sonríen
Como la libertad sonríe, 10
Luz cegadora erguida sobre el mar.

Si un marinero es mar,
Rubio mar amoroso cuya presencia es cántico,
No quiero la ciudad hecha de sueños grises;
Quiero sólo ir al mar donde me anegue, 15
Barca sin norte,
Cuerpo sin norte hundirme en su luz rubia.

---

* Fecha: 15 de abril de 1931. Publicación: *Murta*, núm. 5 (febrero de 1932), pág. 1.

El tópico de lo rubio se halla obsesivamente en *Le Paysan de Paris* (1926) de Louis Aragon, uno de los libros surrealistas que Cernuda confiesa haber leído: «rubia como la histeria, rubio como el cielo, rubia como la fatiga, rubio como el beso... este concepto de lo rubio que no es el color mismo, sino una suerte de espíritu de color todo unido a los acentos del amor» (París, 1966, págs. 51 y 52). A su vez Aragon, como Cernuda, habrá encontrado el concepto de lo rubio en Lautréamont, sobre todo en «los adolescentes con cabellos rubios, con ojos tan dulces» (Elisabeth Müller, *Die Dichtung Luis Cernudas*, Ginebra, E. Droz, 1962, pág. 128). El homoerotismo se declara ahora de una manera triunfante en la repetición encadenada de la primera estrofa que da la impresión de un balbuceo regocijante.

PARA UNOS VIVIR*

Para unos vivir es pisos cristales con los pies desnudos; para otros vivir es mirar el sol frente a frente.

La playa cuenta días y horas por cada niño que muere. Una flor se abre, una torre se hunde.

Todo es igual. Tendí mi brazo; no llovía. Pisé cristales; no había sol. Miré la luna; no había playa.

Qué más da. Tu destino es mirar las torres que levantan, las flores que abren, los niños que mueren; aparte, como naipe cuya baraja se ha perdido.

* Fecha: 17 de abril de 1931.

QUISIERA SABER POR QUÉ ESTA MUERTE*

Quisiera saber por qué esta muerte
Al verte, adolescente rumoroso,
Mar dormido bajo los astros negros,
Aún constelado por escamas de sirenas,
O seda que despliegan 5
Cambiante de fuegos nocturnos
Y acordes palpitantes,
Rubio igual que la lluvia,
Sombrío igual que la vida es a veces.

Aunque sin verme desfiles a mi lado, 10
Huracán ignorante,
Estrella que roza mi mano abandonada su eternidad,
Sabes bien, recuerdo de siglos,
Cómo el amor es lucha
Donde se muerden dos cuerpos iguales. 15

Yo no te había visto;
Miraba los animalillos gozando bajo el sol verdeante.
Despreocupado de los árboles iracundos,
Cuando sentí una herida que abrió la luz en mí;
El dolor enseñaba 20
Cómo una forma opaca, copiando luz ajena,
Parece luminosa.

---

* Fecha: 17 de abril de 1931.

En la primera y la segunda edición de *La Realidad y el Deseo* se insertan dos versos adicionales, «Anónimo destino que rozan gritos hostiles / En noches de placer», entre los versos 25 y 26.

La relación del icono homoerótico «adolescente rumoroso» con imágenes del mundo natural da al sueño erótico una dimensión elemental que, implícitamente, lo pondrá a salvo de fracaso tal como aquel que provocó los poemas de *Un Río, un Amor*.

Tan luminosa,
Que mis hora perdidas, yo mismo,
Quedamos redimidos de la sombra, 25
Para no ser ya más
Que memoria de luz;
De luz que vi cruzarme,
Seda, agua o árbol, un momento.

DÉJAME ESTA VOZ*

Déjame esta voz que tengo,
Lo mismo que a la pampa le dejan
Sus matorrales de deseo,
Sus ríos secos colgando de las piedras.

Déjame vivir como acero mohoso 5
Sin puño, tirado en las nubes;
No quiero saber de la gloria envidiosa
Con rabo y cuernos de ceniza.

Un anillo tuve de luna
Tendida en la noche a comienzos de otoño; 10
Lo di a un mendigo tan joven
Que sus ojos parecían dos lagos.

Me ahogué en fin, amigos;
Ahora duermo donde nunca despierto.
No saber más de mí mismo es algo triste; 15
Dame la guitarra para guardar las lágrimas.

---

* Fecha: 29 de abril de 1931. Publicación: Gerardo Diego, *Poesía española: antología 1915-1931,* Madrid, 1932, págs. 443-444.

PASIÓN POR PASIÓN*

Pasión por pasión. Amor por amor.

Estaba en una calle de ceniza, limitada por vastos edificios de arena. Allí encontré al placer. Le miré: en sus ojos vacíos había dos relojes pequeños; uno marchaba en sentido contrario al otro. En la comisura de los labios sostenía una flor mordida. Sobre los hombros llevaba una capa en jirones.

A su paso unas estrellas se apagaban, otras se encendían. Quise detenerle; mi brazo quedó inmóvil. Lloré, lloré tanto, que hubiera podido llenar sus órbitas vacías. Entonces amaneció.

Comprendí por qué llaman prudente a un hombre sin cabeza.

* Fecha: 17 de abril de 1931.

DE QUÉ PAÍS*

De qué país eres tú,
Dormido entre realidades como bocas sedientas,
Vida de sueños azuzados,
Y ese duelo que exhibes por la avenida de los
monumentos,
Donde dioses y diosas olvidados 5
Levantan brazos inexistentes o miradas marmóreas.

La vieja hilaba en su jardín ceniciento;
Tapias, pantanos, aullidos de crepúsculo,
Hiedras, batistas, allá se endurecían,
Mirando aquellas ruedas fugitivas 10
Hacia las cuales levantaba la arcilla un puño amenazante.

El país es un nombre;
Es igual que tú, recién nacido, vengas
Al norte, al sur, a la niebla, a las luces;
Tu destino será escuchar lo que digan 15
Las sombras inclinadas sobre la cuna.

Una mano dará el poder de sonrisa,
Otra dará las rencorosas lágrimas,
Otra el puñal experimentado,
Otra el deseo que se corrompe, formando bajo la vida 20
La charca de cosas pálidas,
Donde surgen serpientes, nenúfares, insectos, maldades,
Corrompiendo los labios, lo más puro.

---

* Fecha: 30 de abril de 1931.

La referencia en la primera estrofa a las estatuas de dioses y diosas olvidadas es la primera alusión en la obra de Cernuda al tema de los dioses paganos antiguos que empieza a desarrollarse en su sexto libro de poemas, *Invocaciones* (1934-1935). El poema alude al cuento infantil de la Bella Durmiente y las hadas que traen regalos para ella. La amargura y pesimismo de este poema recuerda la actitud expresada en *Un Río, un Amor*.

No podrás pues besar con inocencia,
Ni vivir aquellas realidades que te gritan con lengua
    inagotable. 25
Deja, deja, harapiento de estrellas;
Muérete bien a tiempo.

SENTADO SOBRE UN GOLFO DE SOMBRA*

Sentado sobre un golfo de sombra vas siendo ya sombra tú todo. Sombra tu cabeza, sombra tu vientre, sombra tu vida misma.

En vano escuchas la canción del muchacho jovial. Es una canción impersonal, exactamente pudiera ser otra canción cualquiera, y ése es el motivo de que te sientas atraído por el canto y su cantor.

Cuida tu sombra; dentro de tiempo ni sombra serás. Cuida tu pecho y tus sueños, cuida tu cabeza, que ya es una nube y se pierde, como chal delicado, en la tempestad orquestada.

Sube a las cariátides fraudulentas; grita desde allí sobre la arcilla y la lana. Grita, grita, vuelve tus manos del revés. Luego podrás tenderte confiado bajo tu propia sombra.

El resto es el amor evangélico.

* Fecha: 30 de abril de 1931.

TU PEQUEÑA FIGURA*

Tu pequeña figura, sola en algún camino,
Cae lentamente desde la luz,
Semejante a la arena desde un brazo,
Cuando la mano, poema perdido,
Abre diez estrellas sobre el otoño de rojiza resonancia. 5

No sabes, no sabes;
Buscas por la tierra un estremecimiento blanquecino,
Mientras los muros, con su hiedra antigua,
Crecen lentamente sobre el ocaso.

Tristeza sin guarida y sin pantano, 10
Sales de un frío para entrar en otro;
Abandonas la hierba tan cariñosa
Para pedir que el amor no te olvide.

Palabras de demente o palabras de muerto,
Es igual. 15
Escucha el agua, escucha la lluvia, escucha la tormenta;
Ésa es tu vida:
Líquido lamento fluyendo entre sombras iguales.

---

* Fecha: 22 de mayo de 1931.

QUÉ MÁS DA*

Qué más da el sol que se pone o el sol que se levanta,
La luna que nace o la luna que muere.

Mucho tiempo, toda mi vida, esperé verte surgir entre
las nieblas monótonas,
Luz inextinguible, prodigio rubio como la llama;
Ahora que te he visto sufro, porque igual que aquéllos 5
No has sido para mí menos brillante,
Menos efímero o menos inaccesible que el sol y la luna
alternados.

Mas yo sé lo que digo si a ellos te comparo,
Porque aun siendo brillante, efímero, inaccesible,
Tu recuerdo, como el de ambos astros, 10
Basta para iluminar, tú ausente, toda esta niebla que
me envuelve.

---

* Fecha: 15 de junio de 1931. En un borrador de este poema se lee la dedicatoria «A Antonio Colina».

EL MIRLO, LA GAVIOTA*

El mirlo, la gaviota,
El tulipán, las tuberosas,
La pampa dormida en Argentina,
El Mar Negro como después de una muerte,
Las niñitas, los tiernos niños, 5
Las jóvenes, el adolescente,
La mujer adulta, el hombre,
Los ancianos, las pompas fúnebres,
Van girando lentamente con el mundo;
Como si una ciruela verde, 10
Picoteada por el tiempo,
Fuese inconmovible en la rama.

Tiernos niñitos, yo os amo;
Os amo tanto, que vuestra madre
Creería que intentaba haceros daño. 15

Dame las glicinas azules sobre la tapia inocente,
Las magnolias embriagadoras sobre la falda blanca y
vacía,
El libro melancólico entreabierto,
Las piernas entreabiertas,
Los bucles rubios del adolescente; 20
Con todo ello haré el filtro sempiterno:
Bebe unas gotas y verás la vida como a través de un
vidrio coloreado.

---

* Fecha: 23 de abril de 1931. Publicación: *La invitación a la poesía*, Madrid, 1933.

Este poema es el ejemplo más desarrollado del estilo enumerativo que Cernuda cultiva en varios poemas de *Los Placeres Prohibidos*, estilo que permite la libre asociación de elementos dispares que es una característica surrealista. Los últimos versos hacen eco de un fragmento del filósofo presocrático Empédocles: «Yo he sido, otras veces, un muchacho y una muchacha; una zarza y un pájaro; y un pez mudo en el mar.»

Déjame, ya es hora de que duerma,
De dormir este sueño inacabable.

Quiero despertar algún día, 25
Saber que tu pelo, niño,
Tu vientre suave y tus espaldas
No son nada, nada, nada.

Recoger conchas, delicadas:
Mira qué viso violado. 30

Las escamas de los súbitos peces,
Los músculos dorados del marino,
Sus labios salados y frescos,
Me prenden en un mundo de espejismo.

Creo en la vida, 35
Creo en ti que no conozco aún,
Creo en mí mismo;
Porque algún día yo seré todas las cosas que amo:
El aire, el agua, las plantas, el adolescente.

TIENES LA MANO ABIERTA*

Tienes la mano abierta como el ala de un pájaro; no temes que huyan las buenas acciones, los delirios, lo que no sufre compostura.

Un grito, y cantas la luz renovada. Un deseo, y mueres calladamente. Cuándo sabrás que el dolor violado de las conchas, que sonríen tan vagas en la tierra, es la nueva melodía.

Ajusta tu ritmo y tu voz; vuelve la cabeza a derecha e izquierda: eres el señor de las alturas y de las bajezas. Saluda al público cuando llegue la noche. Escucha al mirlo cómo se burla de Dios.

Liberado, sonríe a gracia fresca, como muere un niñito.

---

* Fecha: 18 de mayo de 1931.

COMO LEVE SONIDO*

Como leve sonido:
Hoja que roza un vidrio,
Agua que pasa unas guijas,
Lluvia que besa una frente juvenil;

Como rápida caricia: 5
Pie desnudo sobre el camino,
Dedos que ensayan el primer amor,
Sábanas tibias sobre el cuerpo solitario;

Como fugaz deseo:
Seda brillante en la luz, 10
Esbelto adolescente entrevisto,
Lágrimas por ser más que un hombre;

Como esta vida que no es mía
Y sin embargo es la mía,
Como este afán sin nombre 15
Que no me pertenece y sin embargo soy yo;

Como todo aquello que de cerca o de lejos
Me roza, me besa, me hiere,
Tu presencia está conmigo fuera y dentro,
Es mi vida misma y no es mi vida, 20
Así como una hoja y otra hoja
Son la apariencia, del viento que las lleva.

---

* Fecha: 23 de abril de 1931. Publicación: *Héroe*, núm. 1 (1932), pág. 12, donde va dedicada «A Serafín F. Ferro», amante de Cernuda en esta época. El fracaso de la relación amorosa con Serafín desencadena la desesperación violenta expresada en el libro *Donde habite el olvido*, comenzado en mayo de 1932.

TE QUIERO*

Te quiero.

Te lo he dicho con el viento,
Jugueteando como animalillo en la arena
O iracundo como órgano tempestuoso;

Te lo he dicho con el sol, 5
Que dora desnudos cuerpos juveniles
Y sonríe en todas las cosas inocentes;

Te lo he dicho con las nubes,
Frentes melancólicas que sostiene el cielo,
Tristezas fugitivas; 10

Te lo he dicho con las plantas,
Leves criaturas transparentes
Que se cubren de rubor repentino;

Te lo he dicho con el agua,
Vida luminosa que vela un fondo de sombra; 15
Te lo he dicho con el miedo,
Te lo he dicho con la alegría,
Con el hastío, con las terribles palabras.

Pero así no me basta:
Más allá de la vida, 20
Quiero decírtelo con la muerte;
Más allá del amor,
Quiero decírtelo con el olvido.

---

* Fecha: 23 de abril de 1931.

Existe una correlación directa entre este poema y una poesía de Paul Éluard, «Je te l'ai dit pour les nuages», incluida en el libro *L'Amour la poésie;* para más detalles, véase D. Harris, «Cernuda's "Ready-Mades": Surrealism, Plagiarism, Romanticism», en S. Jiménez-Fajardo (ed.), *The Word and the Mirror: Critical Essays on the Poetry of Luis Cernuda,* Associated University Presses, 1989, págs 61-65.

HABÍA EN EL FONDO DEL MAR*

Había en el fondo del mar una perla y una vieja trompeta. Las sutiles capas del agua sonreían con delicadeza al pasar junto a ellas; las llamaban las dos amigas.

Había un niñito ahogado junto a un árbol de coral. Los brazos descoloridos y las ramas luminosas se enlazaban estrechamente; los llamaban los dos amantes.

Había un fragmento de rueda venida desde muy lejos y un pájaro disecado, que asombraba como elegante extranjero a los atónitos peces; les llamaban los nómadas.

Había una cola de sirena con reflejos venenosos y un muslo de adolescente, distantes la una del otro; les llamaban los enemigos.

Había una estrella, una liga de hombre, un libro deteriorado y un violín diminuto; había otras sorprendentes maravillas, y cuando el agua pasaba, rozándolas suavemente, parecía como si quisiera invitarlas a que la siguieran en cortejo centelleante.

Pero ninguna era comparable a una mano de yeso cortada. Era tan bella que decidí robarla. Desde entonces llena mis noches y mis días; me acaricia y me ama. La llamo la verdad del amor.

* Fecha: 24 de abril de 1931.

VEÍA SENTADO*

Veía sentado junto al agua
Con vago ademán de olvido,
Veía las hojas, los días, los semblantes,
El fondo siempre pálido del cielo,
Conversando indiferentes entre ellos mismos. 5

Veía la luz agitarse eficazmente,
Un pequeño lagarto de visita,
Las piedrecillas vanidosas
Disputando el lugar a las tristes hierbas.

Veía reinos perdidos o quizá ganados, 10
Veía mi juventud ni ganada ni perdida,
Veía mi cuerpo distante, tan extraño
Como yo mismo, allá en extraña hora.

Veía los canosos muros disgustados
Murmurando entre dientes sus vagas blasfemias, 15
Veía más allá de los muros
El mundo como can satisfecho,
Veía al inclinarme sobre la verdad
Un cuerpo que no era el cuerpo mío.

Subiendo hasta mí mismo 20
Aquí vive desde entonces,
Mientras aguardo que tu propia presencia
Haga inútil ese triste trabajo
De ser yo solo el amor y su imagen.

---

* Fecha: abril de 1931. Publicación: *La invitación a la poesía*, Madrid, 1933.

HE VENIDO PARA VER*

He venido para ver semblantes
Amables como viejas escobas,
He venido para ver las sombras
Que desde lejos me sonríen.

He venido para ver los muros 5
En el suelo o en pie indistintamente,
He venido para ver las cosas,
Las cosas soñolientas por aquí.

He venido para ver los mares
Dormidos en cestillo italiano, 10
He venido para ver las puertas,
El trabajo, los tejados, las virtudes
De color amarillo ya caduco.

He venido para ver la muerte
Y su graciosa red de cazar mariposas, 15
He venido para esperarte
Con los brazos un tanto en el aire,
He venido no sé por qué;
Un día abrí los ojos: he venido.

Por ello quiero saludar sin insistencia 20
A tantas cosas más que amables:
Los amigos de color celeste,
Los días de color variable,
La libertad del color de mis ojos;

---

* Fecha: 29 de abril de 1931. Publicación: Gerardo Diego, *Poesía española: antología 1915-1931,* Madrid, 1932, págs. 442-443.
Véase J. Ferraté, «Luis Cernuda y el poder de las palabras», *Dinámica de la poesía,* Barcelona, Seix Barral, 1968, págs. 345-349.

Los niñitos de seda tan clara, 25
Los entierros aburridos como piedras,
La seguridad, ese insecto
Que anida en los volantes de la luz.

Adiós, dulces amantes invisibles,
Siento no haber dormido en vuestros brazos. 30
Vine por esos besos solamente;
Guardad los labios por si vuelvo.

Apéndices

Otros poemas surrealistas

NUEVE POEMAS DE LA ÉPOCA DE *UN RÍO, UN AMOR**

* Estas nueve composiciones, de las que sólo una se publicó en vida del poeta, forman parte, supuestamente, de la versión original de *Un Río, un Amor* que no apareció a causa de la quiebra de la editorial C.I.A.P.

NO ES NADA

Algunas veces soy feliz
Algunas veces vagamente
Como las nubes ceden luz
Como un amor dudando nace
Ser feliz es cantar sin voz 5
Con la aventura entre los dientes
Ser feliz es cerrar los ojos
Sintiendo el mundo que se mece
Algunas veces soy feliz
Algunas veces quiero quiero 10
Mas sólo a veces.

MANO A MANO

La noche entera está en el suelo
La noche entera es mi venganza
Aunque en mis brazos las estrellas
Quieran nacer sobre los hombres
Ah tantas luces yo las guardo 5
Sean esmeraldas diamantes
Acaso un labio langoroso
Cantará en sueños mi fortuna
La oscuridad encuentra al miedo
Entonces ríe luego baila 10
Pero no puedo las estrellas
Mis manos solas van dejando.

LA NOCHE, EL BAILE*

Una queja burlona,
Una voz langorosa,
Voz que cantando habla
Íntimamente para un hombre,
Brilla con diamantes 5
Arrebatados a los ojos.

En un acento cuántas vidas.
La noche honda sobre un río,
Aguas abajo los amantes
Labio contra labio. 10

Una mano sus pétalos abriendo
Sobre el andén que huye, ante las olas,
Ajada luego
Lentamente se pliega a la tristeza.

Un sol tras los cristales desmayado, 15
Afán, afán, ah la aventura
Ríe en las ramas tan azules,
Ríe en las venas, en el cuerpo,
En el cuerpo de nuevo entre sus alas
A la luz del olvido. 20

---

* J. M. Capote Benot, *Cuadernos Hispanoamericanos,* 316 (octubre de 1976), publicó el texto de una copia autógrafa, con puntuación, que Cernuda había mandado a un amigo sevillano, Higinio Capote. No se precisa la fecha del poema.

OJOS DE AGUA

La noche sueña sobre el día
Su sueño es esta hora
Vagamente de luz
Vagamente de nubes.

Un grito acaso un perro lastimoso 5
Mirando tenazmente
El canal como un muro
De silenciosa onda o piedra inagotable.

El agua oscura piensa el mundo
Con un amor tan bello 10
Expresado entre lágrimas
Surgidas de la calma perdidas en la calma.

Un farol rezagado
Aún tiende adormecido perezoso pálido
Su mirada de noche de aventura 15
Ahogado sin nacer para el recuerdo.

Su reflejo es tan turbio
Como el agua cansada en la ribera
Junto al perro que aguarda.

Un grito acaso un eco. 20

DESTINO

Le gustaba cantar
Sin voz el amor lejos
Le gustaba trazar
Dibujos en la noche
Esculpir la aventura. 5

Un día levantó
La claridad con vida.

Una palabra un gesto
Diciéndole no eres
Le arrojaron adónde. 10

POR QUÉ LOS PÁJAROS PEQUEÑOS NO TOCAN LA MANDOLINA*

La luz lleva detrás a tantas nubes,
Tantas manos de hastío
Mirando los colores,
Colores encantados
De la bella bandera anochecida, 5
Que algún río se va
Algún desierto huye de cielo en cielo.

Todo ello, decidme, no justifica nada
Ni siquiera el amor
De estar enamorado, 10
Hoy por eso los labios
Se hielan lentamente
Tan solos como el mundo
Solo, solo entre nadie.

Mirad bien a los ojos para no cantar luego 15
La canción de aquel viento que no vuelve.

---

* J. M. Capote Benot, *El surrealismo en la poesía de Luis Cernuda*, 1977, página 247, publica una copia autógrafa, con puntuación, que Cernuda había mandado a un amigo sevillano, Higinio Capote, junto con tres poemas de la versión definitiva de *Un Río, un Amor*, «Oscuridad completa», «Estoy cansado» y «Nevada». No se precisa la fecha del poema.

Se nota que la primera estrofa contiene un grado de ilogicismo que se acerca indudablemente al surrealismo, mientras que el resto del poema adopta un discurso romántico convencional. Es quizá por esta doble dimensión expresiva que el poema por fin se desgajó de la colección *Un Río, un Amor*, aunque la inclusión en la carta a Higinio Capote con tres poemas que luego se mantuvieron en el libro demuestra que en la fecha de la carta sin duda figuraba dentro del conjunto poético que formaba el libro.

ENVÍO DE FLORES*

Pistola voz cantando
o rosa de arena entreabierta.

Bailarín hombre sin alas
Huyendo sin saber de la muerte.

La pistola murmura su canción conocida 5
De sombra rodeada por corteza de luces.

Vivir es dormir despierto o dormido
Sin saber desde luego que se vive
Sin saber desde luego que se duerme.

---

* La desconexión lógica de los elementos imaginísticos de las tres primeras estrofas y la hipotaxis de la tercera indican una tentativa de escribir automáticamente, que luego se abandona en el convencionalismo romántico de la última estrofa.

PEQUEÑA CABELLERA RUBIA*

Tanto he llorado en honor de la vida
Como piden los hombres ese día
Que las manos no vuelven,
Ese día.

Sobre la soledad estamos de rodillas 5
Entre puertas de par en par abiertas,
Mientras pasan gargantas poderosas,
Jardines al brazo de ternuras.

Mas sólo son las voces naturales
Enjoyadas como un árbol 10
Soltero al pie de muchos siglos,
Mármoles redivivos
Envueltos en blasfemias juveniles.

Y sus lágrimas vertieron los cabellos
Aquel día sin huesos, 15
Lágrimas suficientes para llenar un amante
Insaciable de torturas o caricias.

Hoy volvemos al surco sempiterno
Fingiendo que la sombra nada sabe de aquello,
Fingiendo que esos trajes de la noche no encienden su
extravío, 20
Hasta saber, hombro con hombro,
Que igual es morirse adolescente.

---

* Fecha: Madrid 12 de agosto de 1929. Este poema se incluye en la versión primitiva de *Un Río, un Amor* después del poema «Duerme, muchacho».

ALGUIEN MÁS*

Hasta las hojas más íntimas
Ojos de la Tormenta estaba enamorado
Aun sin saber de quién
Enamorado a pesar de los muertos
Que por las noches en traje de mañana estiraban el aire 5
Recubriendo los pies de aquel muchacho innumerable
Con sonrisa partida como el que siempre espera.

Su amor sin forma descifrable
Marchaba sujetando recuerdos entre lunas
Una luna apagada o encendida era un recuerdo muerto
o vivo 10
Mientras la juventud dormía con los ojos abiertos
O mientras la tormenta descendía al nivel de las cejas
Hasta los ojos mismos después hasta los labios
Sorprendidos en su trabajo insomne
De cantar las blasfemias con guitarra partida. 15

Dos muros conocían que el amor sin figura
Que el amor sin amor ni figura de amores
Que la tormenta en jaula y los hilos hidrópicos
Es amarillo todo
Es vivir con las manos vacías. 20

---

* Fecha: Madrid, 14 de agosto de 1929. Publicación: Gerardo Diego, *Poesía española: antología 1915-1931,* Madrid, 1932, págs. 436-447.

Se incluye en la versión primitiva de *Un Río, un Amor* después del poema «Pequeña cabellera rubia».

DOCE POEMAS DE LA ÉPOCA DE *LOS PLACERES PROHIBIDOS**

* Estos textos pertenecen a la versión primitiva de *Los Placeres Prohibidos.* En esta versión primitiva el libro, después del poema introductorio «Diré cómo nacisteis», se divide en dos secciones tituladas repectivamente «Sólo mi pena sabe» y «Enumeraciones». Se da a continuación el índice de esta «primera copia» del libro, indicando con un subrayado los poemas eliminados: «Diré cómo nacisteis» - *Sólo mi pena sabe* - «Telarañas cuelgan de la razón» - «Adónde fueron despeñadas» - «Qué ruido tan triste» - «No decía palabras» - «Si el hombre pudiera decir» - «Unos cuerpos son como flores» - «La libertad tú la conoces» - «En medio de la multitud» - «Los marineros son las alas del amor» - «Estaba tendido» - «Diminuto jardín como una araña» - «Esperaba algo» - «Para unos vivir» - «Pasión por pasión» - «Hace falta saber» - «Quisiera saber por qué esta muerte» - «Sudarios que algún día» - «Cazadores de cabelleras» - «En ti» - «Déjame esta voz» - «De qué país» - «Sentado sobre un golfo de sombra» - «Tienes la mano abierta» - «Tu pequeña figura» - «Qué más da» - *Enumeraciones* - «El mirlo, la gaviota» - «La casa verde dormida» - «Como leve sonido» - «Hay» - «Te quiero» - «Veía sentado» - «Había en el fondo del mar» - «He venido para ver» - «Ignoras la sonrisa» - «Era un poco de arena». La hoja inicial de esta «primera copia» transcribe una cita del poeta persa Hafiz: «Extranjero en mi patria, temblando de amor, pobre y desesperado, arrastro mis días en la tristeza de la soledad. / ¿Adónde iré? ¿A quién contaré la historia de mi corazón? ¿Quién me hará justicia? / ¿De dónde viene a mí tanta pena? ¿No he nacido más que para ser un desterrado del reino del amor? / Por tanta miseria y porque en mí están grabados todos los signos de la pasión es por lo que a mis sollozos responden los lamentos del ruiseñor.» La primitiva versión del libro va dedicada «A mi querido amigo Emilio Prados».

LA LIBERTAD TÚ LA CONOCES

La libertad tú la conoces
La libertad no la conoces
La libertad es un deseo
La libertad es estar preso.

Preso en un cuerpo que no es mío 5
En unos brazos una boca
Una boca que bebe nuestra vida
Lentamente una muerte.

La libertad es una muerte
Una muerte es nacer en otro espíritu 10
Un espíritu un hombre es un deseo
Un deseo es amor por libertarse.

La libertad la libertad
La libertad es un olvido
En otro cuerpo es un olvido 15
Es un amor la libertad.

Libértame o me muero.

DIMINUTO JARDÍN COMO UNA ARAÑA

Diminuto jardín como una araña
Dormitando ya viejo sobre nubes
Nubes o pies cortados
Pies que ríen cantan y lloran
Como la familia vive con hambre 5
Para domesticar los animales sembrados.

Una rueda venía lentamente
Sobre el camino hablando lentamente
Allí estaba parado un lecho tibio todavía
Y la rueda al chocar permitió en cambio 10
Que algún placer naciera.

Hay diversos placeres pero este más amable
Es un placer que circula al borde del tejado
No lo conoce nadie
Y si le vemos catarata 15
Despeñarse a través de los caminos
Se dirá que es un niño inaccesible.

Mas alguien le conoce
Sabe acaso que es niño pero no niño remoto
Sino al contrario un beso lo aprisiona 20
Y entonces ya olvidado
Corta los dedos a engaños y martirios.

HACE FALTA SABER

Hace falta saber
Saber por qué vivimos como moscas
Famélicas que gritan su deseo
A la sombra de ríos desbordados
De ríos indolentes que suspiran 5
O de ríos que hacen el amor
Nocturnamente a solas.

Una piedra gritaba también en su dominio
Todo de piedra gris algo mohosa
Gritaba hacia las moscas 10
Que volvían lentamente a esconderse en su armadura.

Una voz resonaba entre las hojas de un erizo
Un erizo gentil que paseaba
Llevando de la mano varias piedras
Aún demasiado jóvenes para salir de día. 15

Y no sabíamos no sabíamos
Preguntamos en todas direcciones
Sin que piedras erizos o moscas
Aclarasen su misterio con alas
Su misterio evidente 20
Como un número es evidente junto a la sombra de un
paraguas.

SUDARIOS QUE ALGÚN DÍA*

Sudarios que algún día se reúnen
Para ahogar al hombre
El sobre roto al sol era un rey
La mano de yeso cortada la revolución.

No bastan sinceridades caídas 5
Tristemente a veces
Hojas en el agua
Para impedir que sea fantasma un cuerpo
Perdido entre mentiras tenaces.

Dejad sinceridades y sudarios 10
Con sus pliegues de mudo
Sombras cambiantes tendidas bajo la luz
que ahuyenta un bloque de vida.

Aquel albor sedoso
Erguido entre columnas infantiles 15
Solicita los labios en un beso.

* En la «primera copia», los versos 14-15 se leen así: «Aquel miembro sedoso / Erguido entre columnas».

CAZADORES DE CABELLERAS*

Cazadores de cabelleras cabalgando el destino
Una luz imprevista hace perder el rumbo
Los cristales difuntos renacen en la nieve
Los techos dejan de cubrir la angustia
El primer recién nacido ha muerto. 5

Voces que abren tantas ramas
Como puede contener el recuerdo entre las piernas
Donde la dicha comienza y termina la angustia
De aguardar que los trigos cambien su color todo negro.

Allí estaba la seguridad de vivir 10
La seguridad de ser dos en un lecho
Mordeduras tan bajas que los ojos se enfrían
Resucitando antes de llegar a la muerte.

Deja esa columna insaciable
La alegría creció de modo que puede marchar sola 15
No conviene a las aves cumplir promesas hechas
Las plumas sólo crecen a la sombra de la melancolía.

Plumas rubor voluptuosidad de adolescencia que sabe
Malicia que se ignora morbideces esbeltas
Para morir al fin en esas playas rubias 20
Es demasiado al fin
Porque morir así es morir como un fénix.

---

* M. Ramos Ortega publicó un autógrafo, sin título, de este poema en *Rara Avis,* núms. 2-3 (1987), págs. 26-29. En este autógrafo, el verso 4 se lee: «Los hechos domesticados escapan».

EN TI*

En ti
Juventud manchada de granados
Triunfa el maleficio del metal persistente
Ya cumplido el oráculo que las alas de un ave
Clavan allá en el sur al muro de una hacienda. 5

Indefinidamente
Como galope de caballos sobre montaña de imán
Así bajas la escalera inagotable
Anegando en tinieblas tu cuerpo con la cola de sombra.

Desciendes al fin las ramas del pasado 10
Luciérnaga colérica cuya codicia excitaron agujas
Aunque ignores es verdad el nudo en la corteza
Donde un enano con guantes rojos te despoja de luces.

Picos amenazantes de tejados
Disecan tus recuerdos segados en invierno 15
Montones amarillos que en altivos graneros
Con su hoz macilenta atarán los fantasmas.

Montes montañas sierras interminables
Levantan ante ti una y otra barrera
Y como tantas son volviendo al fin la vista 20
Contemplas esos rincones ávidos del residuo de un cuerpo.

Sin sombra de placer que ondee tu penacho
Ya el aire solivianta tus últimas monedas
De oro con el tiempo de tiempo con la luna
Pobre llama destituida por clavos envidiosos. 25

---

* Fecha: 23 de abril de 1931.

La angustia es piedra sobre la cual sostienes
Tus brazos indolentes que el puñal no ensayaron
Y al resbalar la sangre sientes no haber vivido
Ignorados paisajes tibios muslos de un día.

LA CASA VERDE DORMIDA*

La casa verde dormida,
Las puertas tendidas como brazos,
Los cristales brillantes,
El agua en el jardín,
Las flores, glicinas, prímulas, clemátides; 5
Los armarios vacíos,
Excepto uno con el pantalón del marinero,
Dulce pantalón que acaricio
Igual que acariciaría a su dueño,
Joven orgulloso 10
Sobre su buque en mares ardientes,
Los ojos melancólicos perdidos en el agua,
Esperando el amor,
Esperándome a mí mismo,
Que idealmente le beso 15
En los labios, en el cuello,
En el pecho suave y fuerte,
En el vientre rubio,
En los cálidos muslos
Acerados de recorrer la tierra, 20
De asomarse a los abismos que emanan un perfume,
Atmósfera suya
Rodeándole como un deseo
Aquí o allá, lo mismo en tierra que sobre el mar,
En busca de sí mismo, huyendo de los otros 25
Monótonos y nauseabundos igual que la tristeza,
Que los días iguales
Inclinado sobre la mesa

---

* En un momento dado Cernuda había añadido a mano la puntuación al tiposcrito de este poema, lo que indica posiblemente que había penasado incluirlo en la versión de *Los Placeres Prohibidos* que se incluyó en la primera edición de *La Realidad y el Deseo* en 1936.

Dejando pasar días,
Dejando pasar el tiempo, 30
Dejando pasar el tesoro propio,
Como si las mismas olas mojasen siempre los mismos pies.

HAY

Hay
Deseos en el hombre
Hombres en el sueño
Sueños en la campana
Campanas en el río 5
Pero no sabes de dónde es un deseo.

Un deseo es una nube
Lo mismo que el hombre
Lo mismo que yo lo mismo que tú
Cuyo nombre es tan dulce a mis labios 10
Como lo son los frutos opacos y con sabor de vida
Como lo son las plantas luminosas y fuertes
Como lo es el aire risueño.

Hay
Esa forma severa que niega 15
Esa forma de muerte
Que no es un deseo sino amarga madera
Madera muerta que antes fue vida en el árbol.

No escuches porque es un cadáver
Piensa condenarnos a vivir su muerte 20
A dejar todo lo que amamos
La libertad propia la movilidad
El cuerpo sorprendente del joven que se desea
Aquello que constituye nuestra vida
Porque sin ella no la querríamos. 25

IGNORAS LA SONRISA*

Ignoras la sonrisa del obeso,
Joven mendigo, mi amante;
Ignoras la sombra del río,
La virtud del diablo y el placer.

Ignoras que la muerte jugando 5
Corta la crin de los caballos,
Ignoras la ventana sombría,
La barca nocturna con fiebre,
La estrella en la mano.

Ignoras el ala del miedo, 10
Que abre en los pantanos
Por las noches de otoño,
Ignoras las horas con piernas de nubes,
La envidia y su palma de lirios.

Ignoras todo lo ignorable. 15
Eres insumiso y brutal; así te quiero.

Los otros te dejan marchar a un lado,
Como un silencio estás solo.

Pasa tu brazo bajo el mío,
Dame poco a poco tus labios. 20

La ceniza es sabrosa a la boca
Que olvida el mundo ya verde a lo lejos.

* En la «primera copia» se leen dos versiones primitivas sucesivas del verso 2: «Pescador joven mi amante / Joven gaucho mi amante».

ERA UN POCO DE ARENA

Era un poco de arena; sobre mí desplegaban nervaduras de acero y ambición sus saltos dichosos.

Era una guija; regalo para la turbadora mano de un niñito, morena inocencia, valor virginal.

Era una gota de agua; escalofríos nevados me arrastraban, golfos de sombra y luz me acogían en su delicada grandeza.

Era siempre una cosa, fragmento de madera, de seda, de hierro o cristal; en torno se agitaban seres extraños.

Me hallé entre ellos, forma semejante buscaba algo inmenso donde perderme, y no lo encontraba.

Era ya un hombre.

[LA POESÍA PARA MÍ]*

La poesía para mí es estar junto a quien amo. Bien sé que esto es una limitación. Pero limitación por limitación ésa es después de todo la más aceptable. Lo demás son palabras que sólo valen en tanto expresan aquello que yo no pensaba o no quería decir. O sea una traición. Si te separas de mí que sea para traicionarme. El viento te distraerá con sus breves historias. Yo olvidaré lo mismo que también se olvidan un árbol y un río.

* No se puede determinar el lugar exacto que corresponde a este texto dentro del conjunto de la versión primitiva de *Los Placeres Prohibidos*.

[SENTÍ UN DOLOR EN EL PECHO]*

> De niño me hicieron creer que la bondad y la maldad existían realmente. Qué horror. La bondad y la maldad no existen; sólo existe la estupidez. Estupidez rizada o no, rubia, negra o cana, bicúspide o salomónica como las barbas que decoran los horribles semblantes humanos.

Sentí un dolor en el pecho, y vi a mi alrededor una extraña mascarada; entonces comencé a vivir. No sé cuánto tiempo llevaba así. Algo me pesaba y quise arrojarlo de mí; pero aquello me tenía, era mi propia forma o cuerpo. Aquellos brazos, aquellas piernas, aquel sexo eran yo mismo, y por tiempo indefinido. Mas no bastaba ello a distraerme; me aburría y quise salir. Sin que recuerde si abrí o no la ventana me encontré en el aire.

La noche estaba fría; el viento tropezaba en los muros y juraba como un piojo; la luna subía redonda y blancuzca, trasero de mujer.

Respiré libremente. Al pasar sobre un tejado un montón de brujas levantaron sus puños contra mí. Alguna quiso gritar, pero la voz estaba presa en las telarañas de su garganta. Quedaron allá, junto a la veleta rechinante.

La fuerza del viento me hizo cambiar la dirección; marché hacia el noroeste. Quería encontrarle y no sabía cómo; no sabía si todo mi amor sería bastante para que se mostrara.

Descendí sobre un bulevar desierto. Las casas rechinaban su dentadura con escalofrío; luego se quedaron inmóviles. A lo lejos, agitando pecho y caderas, venía una sombra; para evitar su doloroso roce crucé un puente, pero me siguió como un taxi vacío. Le hice seña de que se alejara, y entonces chis-

---

* Este texto figuró primitivamente como el primero del grupo de poemas en prosa de *Los Placeres Prohibidos*.

porroteó un momento hasta desaparecer; sólo quedó un charco como un trozo de pergamino junto a un árbol.

Más allá crucé un hombre con una enorme guitarra; se quejaba dulcemente igual que un desollado; me pidió limosna y se alejó aprisa. Me acerqué al parapeto; el río cantaba en voz baja para no ser oído de nadie; le vi agitarse un poco, subir el embozo y volverse al fin del otro lado. Seguí.

Había dejado atrás la ciudad y no escuchaba ya el último perro llorando junto al último farol. El viento atravesaba por mi cuerpo igual que por una calle estrecha y oscura - el viento era mi espíritu.

Un olor amargo, un frío húmedo y el murmullo de una difusa multitud me anunciaron la proximidad del mar. Me sedujo como un ente. Allí, sentado en una peña, estaba él.

Nunca veré nada tan bello. Desnudo, su cuerpo dorado no destacaba el cabello rubio; parecía una llama. Sus ojos vivían como dos piedras. Me incliné y lo besé en los labios. Sonrió entonces y me tomó del brazo. Juntos emprendimos el vuelo.

Pasamos sobre el mar, sobre ciudades que dormían a la deriva como ballenas humeantes.

Al sentirme cansado recordé que no era más que un hombre, y pedí a mi amor una tregua.

Cuatro ensayos
sobre temas surrealistas

PAUL ÉLUARD*

Sueño y pienso que vivo

Sea cual sea la forma angustiosa o indiferente de disponer resolviendo o, mejor, creyendo resolver, los términos del problema poético —aún una frase en boga— resulta ahora ocioso, por no decir imposible, intervenir en tan misterioso dominio donde solamente nos es dado suponer pero nunca comprobar. Colocado también entre aquellos que se someten de mejor grado al gusto que a la necesidad sólo quiero en esta ocasión comentar uno de los resultados actuales de ese mismo problema, una, además, de las respuestas más profundas, no sé si decir más sinceras, a esa pregunta implícita que todo poeta adivina en sí mismo, dentro, claro está, de un mundo impotente.

Me complace, es verdad, considerar así el poema como algo cuya causa, a manera de fugacísima luz entre tinieblas eternas o sombra súbita entre la luz agobiadora, permanece escondida; ya es bastante difícil la huella incierta, falsa a veces, no importa, para buscar además el cuerpo invisible negado eternamente. Mi subjetividad y el Creador es demasiado para un cerebro —decía Lautréamont.

Porque en efecto sólo podemos conocer la poesía a través del hombre; únicamente él, parece, es buen conductor de poesía, que acaba donde el hombre acaba, aunque, a diferencia del hombre, no muere. En este sentido, el resultado o residuo poético, tentativa de alguien que creyó en la poesía, es fatalmente romántico. Ella, pues, es el destino de esos *alguien*

---

* Publicación: *Litoral*, núm. 9 (1929), págs. 24-27.
Paul Éluard (1895-1952) fue uno de los poetas franceses más destacados del grupo surrealista de París. Fue miembro del grupo desde 1924 hasta 1938.

que dicen: «tú me escogiste para ti, yo ¿qué había de hacer sino seguirte?».

Mas aquí, pasando el Pirineo (creemos en la Geografía puesto que creemos en el viaje), la palabra «romántico» no tiene significación. La poesía española por exigencias o deficiencias, es lo mismo, de un temperamento exclusivamente verbalista, si así puede decirse, no ofrece ninguna fase romántica en su inagotable desierto de palabras, palabras, palabras. Sin embargo acaso Garcilaso sea un poeta romántico, acaso lo sea también Bécquer aunque en este último habría además que averiguar si es o no poeta. Amamos o, mejor, se ama demasiado la palabra para ser románticos; sólo interesan las palabras, no la poesía. Y si esta última necesita de aquéllas, esas palabras son ya ciertamente muy distintas, bien que, como las otras, como todas las palabras, traicionen también.

Por esto ese pleno sentido que para mí tiene la palabra «romanticismo» encima o debajo, a derecha o izquierda de la obra de Éluard, resplandor azulado o agua tenebrosa, la palabra «romanticismo», digo, así empleada, acaso ofrezca para otro sólo incertidumbre. Ya esto sería bastante. Pero acaso, acaso no le ofrezca nada.

No importa.

Tengo mi razón conmigo. Sé cuán inútil es intentar comprendernos. Todo esto que vemos o parecemos, decía Poe, ¿no es sino un sueño en un sueño?

¿Conocemos en efecto los motivos de los demás? Sus actos nos aparecen casi siempre como gratuitos y caprichosos. Sin embargo una lógica íntima, invisible los encadena rigurosamente. No; no podemos comprendernos; sólo podemos amarnos; forma también de la comprensión, acaso la más seductora, bastante difícil de por sí, maravillosa desde luego para que nos baste.

Importancia literaria o influencias, todo el mundo puede ser crítico, aunque si llueve no sé por qué he de salir con paraguas. El espíritu es lo que importa —conclusión en la cual no tengo confianza y que desde luego me desagrada. Pero si un labio langoroso pronuncia alguna vez en mi vida el nombre de Éluard (notad cómo el llamado Paul Éluard ha sustituido los zapatos por pétalos de margarita) adaptándolo a una sombra blanca más o menos corpórea, mis manos asombradas dejarán caer irremediablemente en su alegría bastantes porcelanas o cristales. Su fracaso, cierto, no sería nada o sería todo; es decir, sería un fracaso igual al fracaso del poeta, aquí Paul Éluard, porque en definitiva nada hay que no sea fracaso, incluso, en primer lugar, la poesía.

JACQUES VACHÉ*

El suprarrealismo, único movimiento literario de la época actual, por ser el único que sin detenerse en lo externo penetró hasta el espíritu con una inteligencia y sensibilidad propias y diferentes, fue, en parte, desencadenado por Jacques Vaché, sin olvidar, antecedente indispensable, a Lautréamont, y olvidando, recordando vagamente a Rimbaud.

Ahí están, pues, reunidos estos tres nombres con su mágica juventud en total rebelión contra el mundo, contra la carne, contra el espíritu. Nunca la palabra «caído» podrá aplicarse tan justamente. No se adivine, sin embargo, nada angélico en ellos, porque ninguno estaba animado de esa turbia literatura que hoy expresa tal palabra a consecuencia quizá del abuso hecho —entre otros, por el ligero Cocteau. Al contrario, una fuerza diabólica, corrosiva, tan admirable en su trágica violencia, les animaba. Caídos, sí, mas no de cielo extranjero alguno, sino de su misma divina juventud. «No es necesario que pienses en el cielo; ya es bastante pensar en la tierra» —decía Lautréamont.

Ese niño que destroza el juguete preferido, se revuelve contra la persona que más quiere, sintiendo en ello placer y dolor, un placer morboso; ese niño, repito, es el que años más tarde será un espíritu de esta especie inaudita a la cual pertenece Vaché. Imposible sentirse unido a nada; si una inclinación, un amor le atan surge en él rápidamente ese instinto fundamental con un sarcasmo a veces, siempre con la imposibilidad de sostener su vida en algo. Y así, maldiciendo, llo-

---

* Fecha: Madrid, 22 de julio de 1929. Publicación: *Revista de Occidente*, número XXVI (1929), págs. 142-144.

Jacques Vaché (1896-1919). Este extraordinario personaje —dandi, poeta y humorista— tuvo una influencia determinante en la vocación literaria de André Breton.

rando, burlándose, desfilan hacia la muerte estos espíritus para quienes «orgullo» no fue una palabra vana.

Temperamentos de tal calidad quizá no puedan darse sino en Francia. Sí, esa Francia republicana, tan amante de la jerarquía, de la gradación oficial, de la clasificación burocrática, es también la Francia de la rebelión, del «no» lanzado desesperadamente en pleno furor de orgullo destructor.

Esa situación espiritual, ese desorden en el orden es lo que constituye en esencia la obra suprarrealista. Conviene quizá recordar esto ahora aquí, cuando algunos menores de treinta años —aún otra frase de moda— cometen su pequeño suprarrealismo, en realidad su eterno supraverbalismo, porque una raza de escritores tan odiosamente verbalista —ese sentido vulgar de la lengua, Vaché dice implícitamente y repetidamente que le falta— corrompe cualquier posible espiritualidad con su vulgar locuacidad sin contenido alguno posible. ¡Ah, Hamlet, príncipe mío!

Hay siempre en estas trágicas existencias, tan dignas de amor, una circunstancia grande o pequeña que liberta aquel espíritu al acecho. Aquí la circunstancia visible es quizá la guerra. Y, sin embargo, al leer las *Lettres de guerre*, único testimonio escrito que dejó Vaché, la guerra no parece producirle gran efecto. No quiere volver los ojos de sí mismo. A pesar de ello, ¡cuán nostálgica aquella mirada que lanza hacia la vida anterior a 1914! Sí, él se dio entonces cuenta de la mutación. ¿Qué dicen estas cartas? Sus amarguras y sus sueños juntamente, el crédito, un tanto voluntario, que concede al «umor» —como él escribía—, todo entrecortado de afirmaciones, para nadie, como, por ejemplo, «El Arte Es Una Tontería». Era Vaché, si se quiere, escritor, o pintor, o soldado, o descargador en un muelle, o, mejor, un hombre. Hubiese querido sin duda ser muchas cosas más, y desde luego soñó innumerables ocupaciones. Ocupación, no profesión, porque él, como Rimbaud, tenía horror a la mano, «mano en el arado o mano en la pluma». Cierto, es imposible a un espíritu, atención, «así», conformarse con una sola atmósfera, aunque ésta sea la atmósfera artística, enrarecida, mezquina, desilusionante, mostrando cómo esto o aquello que un día, fecha melancólica, creímos admirar, está, como casi todo, hecho de pequeños recursos. ¿Rimbaud? ¿Apollinaire? ¡Bah! Luego, qué falta de vida... Imposible, sí, imposible detenerse aquí; es necesario caminar más allá, siempre más allá, a solas, hasta el fin con su destino.

Por encima de toda esta vida vuela irremediablemente el hastío, el hastío con su pico, garras y alas. Estupidez, luz blanca o negra, amor, ya te avisaré cuando me hagas falta, aunque hay pistolas que terminan en una flor cantando como las sirenas, las sirenas, ya sabéis. Tiene, sin embargo, su vida, afortunadamente, aspectos, épocas en sombra; su vida, que impulsada por tan dramático destino dice algo en favor de la felicidad para tontos, beneficiarios sin duda de este mundo, no sé si también de otro cualquiera posible por ser cosa totalmente desprovista para mí de interés.

Quedaba aún a Vaché, como él dice, «esa querida atmósfera de tango hacia las tres, madrugada, con industrias maravillosas, delante de algún monstruoso *cocktail*»; quedaban sus sueños avivados por el cine, el cine aún no descubierto entonces. «Saldré de la guerra chocheando dulcemente, o acaso a la manera de esos espléndidos idiotas de aldea (lo deseo)... o acaso..., acaso..., ¡qué *film* representaré! Con automóviles locos, ya sabe, puentes que ceden y manos mayúsculas trepando por la pantalla hacia algún documento. ¡Inútil e inapreciable!» No puedo, no quiero citar más; imposible leer esta carta sin lágrimas; su lectura puede cambiar un espíritu.

Todo ello era un sueño y en sueño quedó, en un sueño de muerte. Un día encontró la Policía en el cuarto de un hotel de Nantes, dos cuerpos: uno muerto, otro moribundo. Al lado, sobre la mesa, aún quedaba un poco de opio. Acaso fue inadvertencia, acaso fue designio; nada se sabe. Así murió Vaché, elegido de los dioses, con toda la hermosura fatal e irremediable de lo inconcluso, de lo inacabado.

CARTA A LAFCADIO WLUIKI*

No sabría decir si la literatura narrativa se halla en quiebra actualmente o no; es cuestión académica o profesoral, y no cuido de tal clase de cuestiones. Lo indudable, sin embargo, es que el afán humano de enajenarse, de olvidarse en alguien o en algo, gracias a uno de los escasos poderes taumatúrgicos que aún nos quedan, no ha desaparecido de nuestro horizonte, ni desaparecerá mientras el hombre exista. La realidad no es nunca lo suficientemente amplia y diversa para que ella nos baste por sí sola. Es necesario ese margen misterioso, de vagas luces y vagas sombras, delicado, exigente y voraz, que la imaginación proporciona. Sabido es cuánto enriquece a la ficción, leída, escuchada o vista, una rica imaginación bien dispuesta. Cualquier relato puede abrirnos así, entonces, los más maravillosos espacios, antes infranqueables o insospechados.

Pero la imaginación sólo en muy temprana edad ostenta su fuerza, fuerza que al trasmutar la juventud el organismo vital, va perdiendo su brío ante los toscos embates de la realidad.

---

* Publicación: *Heraldo de Madrid* (24 de septiembre de 1931), donde faltan los cinco primeros párrafos. La versión aumentada con los cinco párrafos añadidos al comienzo y correcciones al resto se realizó en agosto de 1932, pero no se publicó hasta 1964 en *Revista Mexicana de Literatura*, número de enero-febrero. Cernuda incorporó el texto aumentado en su libro de ensayos literarios *Poesía y literatura II*, Barcelona, Seix Barral, 1964.

La cita al final del penúltimo párrafo viene del texto «L'Invention», incluido en el libro de Paul Éluard *Capitale de la Douleur* (1926).

André Gide (1869-1951), premio Nobel de literatura de 1947, cultivó casi todos los géneros literarios, destacándose sobre todo como novelista. Ejerció una influencia profunda sobre Cernuda, ayudándole en particular a reconciliarse con su homosexualidad.

Lafcadio Wluiki es un personaje de la novela de Gide *Los sótanos del Vaticano*. En un extenso ensayo sobre Gide escrito en 1946, Cernuda comenta: «la figura de Lafcadio, la más atractiva de cuantas concibiera Gide, tiene el encanto mismo de la juventud; es una de esas creaciones literarias donde la juventud de una época refleja su forma intemporal» *(Prosa I*, Madrid, Siruela, 1994, pág. 571).

Por tanto, en medio de la juventud, los placeres de la imaginación ya quedan a un lado. Entonces necesitamos, exigimos de quien es para nosotros ocasión de tales placeres, es decir, del narrador, más sutilidad, y al mismo tiempo, más egoísmo, lejos de las torpes necesidades de nuestra atmósfera elemental.

* * *

Siempre recordaré mi primera lectura de *Les Caves du Vatican.* Sólo otra vez, hasta ahora, ha coincidido en mi destino un conjunto de circunstancias semejantes, deseos, posibilidades, preguntas, actitudes, y una respuesta tal del oráculo. Porque, en efecto, como respuesta de ese poder demoníaco que indefectiblemente siento cómo va rigiendo nuestras vidas, vino un día a mis manos dicho libro. Hastiado del sempiterno realismo español y su *regoût* de lógica, exigiendo de la realidad, con bastante candor, todo lo imprevisto que de ella me creía con derecho a esperar, asfixiado en suma por el triple y hórrido círculo familiar, amistoso y nacional, me revolvía a uno y otro lado, buscando un poco de frescor, un poco de naturaleza y de libertad.

No será exagerado decir que ese libro satisfizo, en tanto que libro, mi demanda. Un libro... Qué extraño e íntimo hallazgo; parecía esperarlo. Y en ese libro el personaje más fascinador, uno de los personajes más fascinadores que conozco, juntamente con el Mefistófeles de Goethe y ciertos adolescentes de Dostoiewsky. Piénsese cómo era la época en que apareció ese libro; su paso burlón se deslizaba por caminos desconocidos; descubría el mundo de nuevo, y con el mundo nos iba descubriendo, ¿por qué no decirlo?, a nosotros mismos. Gracias a Lafcadio, gracias a ese juvenil torbellino de humor, gracia y fuerza.

¿Será oportuno añadir que lo he buscado vanamente por esta realidad? Mi mayor deseo sería verle.

* * *

Si sólo eres héroe de poética verdad, Lafcadio, amigo mío, ¿por qué te busco así, materialmente? Tal vez deseo de confiarse a un semejante, tal vez necesidad de incoherencia; yo nada sé. No mis ojos, sino mi espíritu fue quien te vio un día, hace tiempo, apoyado en el quicio de la puerta, una gorra de viaje sobre el pelo rubio, chanclos en lugar de zapatos, mientras contemplabas con divertida sonrisa a tu hermano el conde Julius de Baraglioul. Un paraguas goteaba en un rincón; tú lo quitaste de allá apresuradamente, sin duda por horror a lo manchado. Pronto te estimé como a ningún amigo. ¿Cómo no estimar a un ser inteligente, hermoso, joven, presto a todo? Entonces yo era también joven, quizá demasiado, y nada había en torno mío que respondiese a mi fervor juvenil ni a mi poder de admiración aún sin objeto. ¿En quién mejor que en ti podía depositarlos, y con ellos lo mejor de mí mismo? ¡Se ama tanto la pureza a esa edad! Nada hay que sea bastante puro para un adolescente.

Desde entonces creí ya para siempre en ti, en los sutiles y en su invisible victoria sobre los crustáceos. Ridículos, terribles crustáceos. Ellos se apoderaron, en lugar tuyo, del pobre Protos, malparado allá en Italia. Él sentía afecto por ti, Cadio. Tal vez su cinismo le impedía confesárselo a sí mismo, pero a ti te lo dijo en tono de humor, como dicen esas cosas las personas a quienes llaman frías. Tú y él dejasteis atrás la confianza, la estimación a los demás, el sentirlos iguales a uno mismo, cosas todas que nadie merece, ahora lo sé. El límpido y frío esplendor de tu mirada a ello se debe. Y quizá te llamen cruel. ¡Qué hermoso debe ser oírse llamar así, oír hablar de nuestra frialdad! Las palabras, la vida ajena, deben entonces resbalar sobre nosotros como gotas de agua sobre el mármol de un dios. Sólo hay algo que aún puede animar ese mármol: el deseo de olvidarse en otro cuerpo ¡Qué hermosos son los cuerpos jóvenes! ¡Qué hermoso tormento es el deseo! La estatua entonces se anima terriblemente, corriendo por sus venas, no sangre, sino aire inflamado; pero el objeto de esa apasionada sed es tan engañoso como las arenas que en el desierto fingen un agua. Los labios quedan secos. Disponibles siempre, Cadio, disponibles. La libertad es mejor.

Me acompañas como una sombra más real que yo mismo. Cuando en Dostoiewsky hallé a Trichatov y a su camarada el *grand dadais,* los amé porque en su mirada vi un reflejo de la tuya tan azul y tan fría. Su misma serenidad es prueba para mí de la turbación que en alguna ocasión podría estremecerla: esa ocasión es la que yo quisiera sorprender. ¿Qué me importaría después lo demás, todo lo demás, esa realidad superficial que dos amigos tuyos, sí, sin duda lo fueron Jacques Vaché* y Lord Patchogue**, han dejado a un lado desdeñosamente?

* * *

Hablan en mí diversas voces que gritan, suplican, lloran y sonríen. Mayor fuerza que el huracán cuando se arrastra y clama a lo largo de un bosque tiene la voz total que forman esas diferentes voces interiores. Es la voz de un deseo insaciable que se confunde con la propia vida. Siempre es distinta. Quisiera sujetarla una vez, sólo una vez, pero es inútil; huye entre los dedos como agua o arena. Unas veces habla, de placer, otras de tristeza, otras de tormento; pero siempre es la voz de un mismo afán sin nombre, un divino afán hostigándonos para levantar la vida hasta las estrellas.

Hay que continuar siempre. ¿No es ése tu secreto, Cadio? La sociedad es estúpida, pero el mundo es hermoso. Esas llamas, el sonido de las hojas en los vidrios de la ventana, el reflejo de la luz sobre las planchas del suelo: ¡qué maravilla! Todo ello existía, mas no sentía esa lenta caricia con la cual curan la más profunda herida del deseo. Tu presencia me dice que debe amarse la vida y el aire y la tierra divinos que la ro-

---

* Jacques Vaché. Mayor en un año que André Breton. Se suicidó, según parece, poco después del armisticio que puso término a la Primera Guerra Mundial; *Lettres de «Guerre»,* Au Sans Pareil, 1919. Sobre él puede leerse «La Confession Dédaigneuse», *Les Pas Perdus,* André Breton, *N. R. F.,* 1924.

** Jacques Rigaut era su nombre; Lord Patchogue es personaje creado por él y que se confundía con él mismo. Más joven que Vaché. Se suicidó, tras un primer intento frustrado, en 1929. Véanse *Papiers Posthumes,* Au Sans Pareil, 1934, o el número de agosto de 1930 de la *Nouvelle Revue Française.*

dean. Caminar con los pies desnudos para mejor sentir la aspereza confortadora de la tierra; bañar el cuerpo con el agua salvaje y fría de los manantiales; embriagarse con el aroma de toda flor que surja al paso. No desdeñar lo natural: amar. Y si se ama, si se ama apasionadamente, nos olvidaremos de nosotros mismos. Entonces estaremos salvados. Agua, verdores densos, seres hermosos, fuertes, libres y jóvenes. No, no es la cantidad lo que importa, sino la calidad. Que el hombre civilizado —así es como se llama a sí mismo— se quede con su sociedad de fantasmas y nos deje lo excepcional, lo que sólo me interesa. Lo único real en definitiva es el hombre libre que no se siente parte de nada, sino todo perfecto y único en medio de la naturaleza, sin costumbres impuestas y profanadoras. La juventud es así, Cadio; es sincera y libre, por eso yo la amo tanto como tú.

* * *

Pasa la hora del mediodía. La sombra siente amorosos celos de la luz y la aparta de mí. Es a mí a quien busca, a mi pobre alegría razonadora. ¡Si la exaltación pudiese anegar para siempre la melancolía! Duerme, perezosa enemiga; demasiado bien sé que es verdadero lo que me repites una y otra vez: «Y sin embargo nunca he encontrado lo que escribo en lo que amo.»

Adiós, Cadio, adiós. Cree en mí.

LA ESCUELA DE LOS ADOLESCENTES*

La persona que firma estas líneas no suele recibir cartas con frecuencia. Le ha producido cierta sorpresa encontrarse con una, de letra desconocida y procedente de una provincia cuyo nombre no cree necesario mencionar. Una vez abierta, el nombre de su autor no pudo proporcionarle luz alguna: se trataba de un desconocido. Y encuentra, leída una y otra vez la carta indicada, que su contenido tal vez pueda interesar a alguien; si es que alguien lee estas líneas, aunque ya no tanto la respuesta a la misma. Pero tal vez la complete, y por eso se da también aquí.

* * *

No sé si le habrá interesado alguna vez un desconocido, quiero decir un nombre tras el cual sólo suponemos una determinada edad. Si se vive demasiado solo, ese interés puede ser obstinado. Andamos, actuamos, pensamos por una persona que en definitiva no conocemos. Esto me ha ocurrido con usted. ¿Por qué no escribirle, pues? Tengo veinte años, familia y ninguna libertad. Ya usted sabe... De un lado, impulsos, fervores, deseos ardientes como sólo la juventud conoce; de otro, limitaciones ignorantes, vacía terquedad. Estudio vagamente unas cosas que no me importan. ¿Por qué me ofrecerán sólo lo que no puede interesarme? Sentiría tentación de creer que tal falta de interés es culpa mía si no supiera que ésa es precisamente la defensa de mi instinto frente a lo que quieren imponerle y que él no reconoce como naturalmente suyo. ¡Hay, en cambio, tantas cosas que me apasionan hasta la exasperación!... Y si continúo en aquello no es por estupidez contagiada, sino tal vez por falta de energía; yo por lo me-

* Publicación: *Heraldo de Madrid* (5 de noviembre de 1931).
La celebración del mundo natural en este ensayo corresponde con el concepto del deseo elemental y telúrico que se desarrolla en *Los Placeres Prohibidos*.

nos así lo creo. Encuentro en mí un fondo de indolencia contemplativa, y no basta a sacarme de esta deliciosa inacción el deseo de estrechar en mis brazos esa realidad más noble, pura y espiritual que sospecho detrás de esa realidad visible. Aquélla me ha conquistado como suyo definitivamente —mucho lo temo. ¿Habré nacido acaso para «escribir», es decir, para trazar sobre una blanca superficie ciertas palabras que los demás no leerán? Sería terrible... Dígame, amigo mío (permítame que le llame así), si cree que yo merezco la pena verdaderamente.

* * *

Sería de desearle, incógnito amigo, un brusco cambio exterior. Esto facilitaría muchas cosas para usted. Le alejaría de sí mismo y luego se encontraría de pronto enriquecido y libertado, aunque esta liberación no sea total; es casi imposible, al menos ahora. No desespere; ese cambio sobrevendrá, confíe en ello. Hay un poder demoníaco, no sé si ajeno o no a nosotros mismos, que actúa y dispone nuestro rumbo con arreglo a un secreto destino. Y no tema: este rumbo tiene siempre una sutil afinidad, más o menos exacta, con nuestro espíritu. Hay, claro es, ironías terribles; pero dejémoslo ahora, ¿quiere? Ya lo aprenderá por sí mismo, y hasta es posible que obtenga de aquéllas beneficio. Entonces la ironía se transforma: comprendemos que el Mundo es amplio, mucho más amplio y diverso de lo que los hombres pretenden. Por ahora tiene usted soledad, y esto es tanto... Es un don que sólo se estima al perderlo. Recuerdo que al tener yo esa edad que usted debe de tener ahora veía, al levantar la mirada, escritas frente a mí, sobre la mesa, esas palabras de Vinci (tan repetidas por gentes que no pueden «saberlas»): «Y si estás solo serás todo tuyo.» Palabras que escribió alguien terriblemente solo durante toda su vida. Pero no quiero poner temblor en quien tal vez lo rehuía: hay un pudor afectivo que pocos conocen. ¿Le sostendrá mientras tanto la soledad? Así lo creo, y sobre todo su propia vida le ayudará. Déjese ayudar por ella; confíe, crea en el tiempo. Pero confíe en usted, nunca en los demás ni tampoco en mí; las ruinas son luego deplorables y se asemeja uno a un superviviente en medio de los vestigios del terremoto. No, no, amigo mío, no ponga su confianza en las personas: ahí están los animales, las plantas, las piedras, las cosas maravillosas, tan puras todas como la luz o las nubes, y que nunca decepcionan. Bien sé que esta indicación es inútil: no se es joven impunemente. ¿Le serán más útiles los excesos sentimentales, creer en una presencia, presencia que nosotros mismos evocamos de la nada con el poder taumatúrgico del amor, y que surge, al fin, radiante y amenazadora, ante nuestros ojos cegados? Mas, ¿qué palabras le digo? Yo mismo intentaba precipitarle. Discúlpeme, se lo ruego. Me lo figuro como un delicioso animalillo, ardiente y salvaje... No sé qué decirle más. Es difícil terminar unas líneas dirigidas a quien todo parecía esperarlo de uno. Tal vez sea lo mejor terminar así: bruscamente.

Dos declaraciones

[POÉTICA]
(1932, 1934)*

En 1932, solicitado, obligado casi, por el colector de esta *Antología* escribí las siguientes líneas:

«No valía la pena de ir poco a poco olvidando la realidad para que ahora fuese a recordarla, y ante qué gentes. La detesto como detesto todo lo que a ella pertenece: mis amigos, mi familia, mi país.

»No sé nada, no quiero nada, no espero nada. Y si aún pudiera esperar algo, sólo sería morir allí donde no hubiese penetrado aún esta grotesca civilización que envanece a los hombres.»

Ahora, en 1934, el muchacho que yo fui, ¿qué relación tiene con el hombre que yo soy? No sé por qué intento justificar esta diversidad de un espíritu que sigue, a lo largo de los días, su destino vital. ¿Afán de exactitud sentimental? Tal vez piense al escribir esto en alguien que no conozco. Y entonces el origen de estas nuevas líneas sería una tentativa para acercar el deseo, mi deseo, a la realidad. Pero, puedo decirlo, en nadie creo.

Recuerdo ahora, es verdad, la vida de Byron, la de Shelley, la de Keats. Y más lejos aún, en el mundo de lo que nunca fue, los pastores de Teócrito, la vida de Mefistófeles de Goethe, la de Hyperión de Hölderlin. Pero creer es otra cosa.

¿Soy yo el mismo que escribió aquellas antiguas líneas que antes trasladé? Tal vez no; mas siento dentro de mí, imperio-

---

* Publicación: Gerardo Diego (ed.), *Poesía española: antología 1915-1931*, Madrid, Signo, 1932, y *Poesía española. Antología (Contemporáneos)*, Madrid, Signo, 1934.

so y misterioso, el mismo impulso que me llevó a trazarlas. Pienso hoy que si entonces creía odiar a mis amigos, a mis nulos amigos, es porque les amaba demasiado. Y en cuanto a mi país, no me aqueja tristeza o laxitud que no se aclare al pensar que allá en el sur las olas palpitan al sol sobre las arenas mías, sobre las arenas que sustentan desnudos cuerpos juveniles. Pero el sol, el mar, la juventud, ¿no son los mismos en todo el universo?

Entonces yo soy aquél, aquél mismo.

Mayo, 1934

[LOS QUE SE INCORPORAN]*

Llega la vida a un momento en que los juguetes individualistas se quiebran entre las manos. La vista busca en torno, no tanto para explicarse la desdicha como para seguir con nueva fuerza el destino. Mas lo que ven los ojos son canalladas amparadas por los códigos, crímenes santificados por la religión y, en todo lugar, indignantes desigualdades en las que siempre resulta favorecido el estúpido. Se queda, pues, en peor situación de espíritu. Este mundo absurdo que contemplamos es un cadáver cuyos miembros, remueven a escondidas los que aún confían en nutrirse con aquella descomposición. Es necesario, es nuestro máximo deber enterrar tal carroña. Es necesario acabar, destruir la sociedad caduca en que la vida actual se debate aprisionada. Esta sociedad chupa, agosta, destruye las energías jóvenes que ahora surgen a la luz. Debe dársele muerte; debe destruírsela antes de que ella destruya tales energías y, con ellas, la vida misma. Confío para esto en una revolución que el comunismo inspire. La vida se salvará así.

---

* Publicación: *Octubre,* núms. 4-5 (octubre-noviembre de 1933).
La adhesión de Cernuda a la revolución comunista tuvo poca duración. Ya se había desilusionado antes del fin de la Guerra Civil.